はじめての人のための
らくらくタロット入門

藤森 緑

はじめに

　神秘的なイラストが描かれたパッケージに惹かれて、タロットカードを購入する人は多いのではないでしょうか。でも、いざ自分がタロット占いをしようと解説書に目を通すとその難解さにすっかり意欲を失い、せっかく買ったタロットは使うことなくしまわれてしまう……なんてことがあったかもしれません。
　巷には多くのタロット本があふれていますが、意外と、タロットをはじめて手にした人のための本がないというのが現状です。
　本書は「タロットカードを手にしたら、今すぐにでもタロット占いをはじめたい！」という人のための本です。
　タロット占いに複雑な知識は必要ありません。はじめてみたいけれどカードの持つ意味やタロット占いの方法が難しそうで二の足を踏んでしまう……そんなあなたの背中をこの本が押すことができれば、著者としてこれほど嬉しいことはありません。

Contents

　　はじめに　　　　　　　　　　　　　　　3
　　タロットカードをはじめて手にするあなたに　　8

Ⅰ タロットカード紹介

　　0　　愚者　　　　　12
　　Ⅰ　　魔術師　　　　14
　　Ⅱ　　女教皇　　　　16
　　Ⅲ　　女帝　　　　　18
　　Ⅳ　　皇帝　　　　　20
　　Ⅴ　　法王　　　　　22
　　Ⅵ　　恋人　　　　　24
　　Ⅶ　　戦車　　　　　26
　　Ⅷ　　力　　　　　　28
　　Ⅸ　　隠者　　　　　30
　　Ⅹ　　運命の輪　　　32
　　Ⅺ　　正義　　　　　34
　　Ⅻ　　吊るされた男　36
　　ⅩⅢ　　死神　　　　　38
　　ⅩⅣ　　節制　　　　　40
　　ⅩⅤ　　悪魔　　　　　42
　　ⅩⅥ　　塔　　　　　　44
　　ⅩⅦ　　星　　　　　　46
　　ⅩⅧ　　月　　　　　　48

XIX	太陽	50
XX	審判	52
XXI	世界	54

II タロットカード占い

1 タロット占いの基本   58

2 ワンオラクル   61
    ワンオラクルでわかる今日の運勢   62

3 ツーマインド   64
    Case 1 ［恋愛］ 同じ職場の年下の男性の恋愛感情は？   65
    Case 2 ［恋愛］ クラスメートの男の子と目がよく合うのですが   67
    Case 3 ［恋愛］ 結婚話をもちかけると彼が避けてしまいます   68
    Case 4 ［恋愛］ 職場内でW不倫をしてしまうおそれが   69
    Case 5 ［恋愛］ 好きな彼には彼女がいるようですが   70
    Case 6 ［仕事・学業］ 絵画教室での先生からの評価は？   71
    Case 7 ［仕事・学業］ 上司にどう思われているのでしょうか？   72
    Case 8 ［仕事・学業］ 同僚が嫌みを言ってきます   73
    Case 9 ［友人・家族］ 息子の嫁があまり実家に来ません   74
    Case10 ［友人・家族］ 中学生の息子が引きこもりです   75
    Case11 ［その他］ 子犬が私にだけなつきません   76

4 ツーオラクル　　　　　　　　　　　　　　　　77
　Case12 ［仕事・学業］　人間関係が嫌になり転職を考えています　78
　Case13 ［その他］　休日の有意義な過ごし方　80
　Case14 ［恋愛］　アルバイト先の店長に片想い中　81
　Case15 ［恋愛］　好きな人とデートをすることになりました　82
　Case16 ［友人・家族］　友人と大げんかしてしまったのですが　83
　Case17 ［仕事・学業］　新企画のプレゼンが不安です　84
　Case18 ［仕事・学業］　接客がうまくいかず売上も伸び悩んでいます　85
　Case19 ［健康］　熱があるのですが無理をしても大丈夫？　86
　Case20 ［健康］　ダイエットがうまくいきません　87
　Case21 ［その他］　見つからないアルバムの行方　88
　Case22 ［金運・買い物］　高価なアクセサリーを買いたいのですが　89

5 トライアングル　　　　　　　　　　　　　　　　91
　Case23 ［恋愛］　同じ職場の異性に片思いしています　92
　Case24 ［恋愛］　知り合ったばかりの彼との相性は　94
　Case25 ［恋愛］　別れた恋人が忘れられない　95
　Case26 ［仕事・学業］　新しい仕事を任されましたが慣れません　96
　Case27 ［仕事・学業］　新社会人として職場の人間関係に不安があります　97
　Case28 ［友人・家族］　友達になりたい人と接するチャンスはありますか　98
　Case29 ［仕事・学業］　苦手な中国語を習うことになったのですが　99
　Case30 ［仕事・学業］　高校入試が控えていて不安です　100
　Case31 ［その他］　趣味のピアノのミニコンサートを開きます　101
　Case32 ［健康］　仕事が落ち着いてきたらやる気が起きない　102
　Case33 ［健康］　時々起こる胃の痛みは自然治癒で治りますか？　103

Case34 ［金運・買い物］　友人に貸したお金が返ってこない　　104
　　Case35 ［金運・買い物］　車を買うために貯金に励んでいるのですが　　105
　　Case36 ［その他］　ペットにハムスターを飼いたい　　106

6　ヘキサグラム　　108
　　Case37 ［恋愛］　片想いの彼への告白　　110
　　Case38 ［恋愛］　遠距離恋愛の恋人との結婚　　112
　　Case39 ［恋愛］　失恋をして次の恋にいけない　　114
　　Case40 ［仕事・学業］　大企業との商談が難航　　116
　　Case41 ［仕事・学業］　お笑い芸人になりたいという将来の夢　　118
　　Case42 ［仕事・学業］　両親が離婚しても大学進学はできますか　　120
　　Case43 ［仕事・学業］　音楽家の夢を捨てることができません　　122
　　Case44 ［健康］　精神的な偏頭痛に悩まされています　　124

　　おわりに　　127
　　版権許諾　　127
　　著者紹介　　128

Tarot Column

どんなタロットカードを選べばいいの？　　10
「大アルカナ」と「小アルカナ」って何？　　56
タロット占いの基本のおまけ　　60
お守りとしてのタロットカード　　90
自分以外の人を占うときは　　107
プロの現場　　126

タロットカードをはじめて手にするあなたに

✦ タロットカードって何！？

　タロットカードの起源については様々な説がありますが、最近では15世紀に北イタリアで作成されたという説が一番有力です。まだ印刷技術の発達していない当時は1枚1枚が画家によって手描きで作られた大変高価なものでした。その頃はゲームや賭博で使われていたようです。
　18世紀になると、タロットに高い関心を持つ研究家が現れ、タロットと魔術が結びつけられました。こうしてタロットは神秘性を高め、占いとして用いられるようになりました。
　今では日本でも、思わず手に取って眺めたくなるその絵柄の神秘的なムードと美しさや、そして自分が抱えている現在の悩みを瞬時に把握できる占いであるということにより、絶大な人気を誇っています。
　例えば誰か好きな人がいるとします。当然あなたは、「好きな人が自分のことをどう思っているのか」ということが知りたくてたまらないでしょうし、両想いになれる可能性がどれだけあるのかどうかも知りたいはず。タロットはそのような悩みの解決法を教えてくれるのです。
　しかしだからといって、タロットが何でもかんでも教えてくれたり、願い事を叶えるような魔法の力を発揮したりするわけではありません。タロット占いは、あくまでも「目に見えない世界のことを知るためのツール」だと心得ておきましょう。
　それでもタロットが示す「アドバイス」は非常に大切で、場合によっては、未来の結果よりも重要なメッセージになります。これは、たとえ占った結果が悪くても、そこに示されたアドバイスを実行することによって、状況が好転することが多いためです。ですからタロット占いの結果に一喜一憂

するだけではなく、タロットが示してくれたアドバイスに、しっかりと目を向けてください。

✹ 二つの顔を持つタロットカード

　タロット占いでは、カードの絵柄が正しい向きで出ている状態を「正位置」と呼び、絵柄の上下が逆になっている状態を「逆位置」と呼びます。逆位置を採用せず、すべて正位置として判断するという解説書もありますが、本書では逆位置も採用しています。

　基本的に、正位置はカードのポジティブな面を強調し、逆位置はネガティブな面を強調するという役割りがあり、そのためハッキリと正位置、逆位置を分けなければ、はじめての人はどう読み取っていいのかわからず混乱してしまうでしょう。ですから、はじめのうちは「すごく良さそう！」とか「イマイチな結果みたい……」など、「良いか悪いか」がわかるだけで十分です。それは本書にある「ワンオラクルでわかる今日の運勢（62 ページ〜 63 ページ）」の「◎、○、△、×」を参考にしてください。そして占う回数を重ねていくうちに、自然とある程度カードの意味の細かい部分までわかるようになるはずです。そうなったら占うときに使用する枚数を本書でも紹介しているように2枚、3枚、7枚と少しずつ増やしてみましょう。1枚だけでは見えなかった世界がそこにはあります。占いたい内容によってもスプレッド（展開法）は変わってきますが、カードから得られる情報量が増えれば、タロット占いはますます面白くなります。

　こんな神秘の力を持つタロットカードであなたの人生に大きな彩りを添えましょう。

Tarot Column 1

どんなタロットカードを選べばいいの？

　新しいタロットカードは続々と登場しており、ズラリと目の前に並んだタロットを前にすると、いったいどれを選べばいいのか迷ってしまうことでしょう。

　タロットを選ぶポイントは、「自分の好きな絵柄かどうか」が一番大切です。「そんなことでいいの？」と思うかもしれませんが、好きな絵柄であれば、占いをするときもワクワクして、タロットやタロット占いに飽きてしまうことはないはず。

　ただし本を片手に学ぶ段階であれば、全タロットの中で売り上げが断トツ1位であり、多くのタロットの基盤とされていて、本書でも掲載している「ウエイト版（別名：ライダー版）」がオススメです。他にも22枚の大アルカナだけのセットも数多くありますから、その中から選んでもいいでしょう。

　また天使のカードや易タロットなど、本来のタロットとは違う種類の占いカードも多々ありますから、選ぶときはご注意ください。

　購入する際には、カタログを作成している占い専門店から取り寄せることが可能ですが、最近ではインターネットで多くの種類を購入できます。本格的にタロットを扱っている大型書店もありますし、一般の書店でも解説書とセットのタロットが安価で売っています。

　あなたにフィットするタロットカードに巡り合えることを願っています。

Ⅰ　タロットカード紹介

THE FOOL
0 愚者

正位置   逆位置

Image Phrase   *Image Phrase*

恐れを知らない無邪気な冒険家   先を考えない愚かな行動

愚者の正位置　無鉄砲さが未来を切り開く

　カードに描かれている若い男性は、目的のない旅行を楽しんでいる王子です。王子の表情は希望に満ちていて、恍惚感が漂っています。

　しかし、彼の足元をよく見てください。目の前には高い崖が迫っていてあと一歩で落ちそうなのに、彼はそのことに全く気がついていません。足元にいる犬が、「危ないよ！」と声をかけていますが、それにも気がつかないのです。

「愚者」のカードは、この一歩先のことを考えない王子のように、物事をあまり深く考えず、無邪気な気持ちで行動を起こすという意味を持っています。周りの人達が彼を「危険を恐れない冒険家」と感じるように、たとえ今まで経験したことのない未知の分野にでも、平気で飛び込んでいくことができるカードです。そして「何をやっても大丈夫」という根拠のない楽観や安心感が、その無邪気な冒険を生み出しているのです。

愚者の逆位置　空気が読めず空回りする

　正位置では王子の無邪気な行動が、意外にも良い結果をもたらすことになるのですが、逆位置になるとネガティブな面が強まります。王子の行動は「思慮に欠ける無謀なもの」ととらえられてしまいます。状況を読めずに間違った方向へ進んでしまうため、動けば動くほど空回りしてしまうのです。

　疲れていたり、頭がボーッとしているときに占ったりすると、この「愚者」の逆位置が結果の位置にひんぱんに出ることもあります。このカードは「白紙のカード」とも呼び、占った結果が不明なときに出るのです。もし、「愚者」の逆位置がよく出るようになったら、占いをお休みしてください。

THE MAGICIAN
Ⅰ 魔術師

正位置　　　　　　逆位置

Image Phrase　　　　　　*Image Phrase*

無からの創造と
チャレンジ精神

パワーが枯渇して
挫折

魔術師の正位置 パワーあふれる行動力でスタートは快調

　強い好奇心を持つ若い魔術師が描かれています。目の前のテーブルには、棒、剣、聖杯、金貨（ペンタクルス）という四元素を示す物質（小アルカナのマークです）が置かれ、彼はこれらの道具を統合する万能な力を持っています。彼が右手の棒を高く掲げているのは、天が与える神のエネルギーを、この地上に振り注がせているためです。

　彼はまだ人生経験の浅い若者ですが、「何でも一人でできる」とすっかり自信を持っています。特に新しいことへのチャレンジ精神が旺盛で、何をやっても成功を収め、未来は明るいものになると大いに期待しているのです。

　「魔術師」のカードは、その若者の性格がそのまま反映されて、「創造」という無の状態から何かを生み出す強い力を持っています。「何かがスタートする」という意味もあります。それも決して周りに頼ることなく、自分一人の力だけで生み出し、明るく希望に満ちた方向へ進めることができるのです。ただしこのカードは良いスタートを切れることは暗示しますが、それからさらに先はどうなっていくのかは、別のカードを参照することになります。

魔術師の逆位置 すべてが中途半端で脱力感に悩まされる

　逆位置になると、この魔術師が天から地に下ろしていたエネルギーがうまく注げなくなり、地のエネルギーの方が強調されて、動きが鈍くなってしまいます。自信満々だった魔術師からその自信がすっかり失われてしまい、優柔不断で消極的な性格に一変します。かといって激しくナーバスになるほどでもなく、問題に対して「どうしようかな、困ったな……」という中途半端な状況や精神状態になってしまうのです。正位置ではエネルギッシュだったのが、逆位置ではパワーのない性質に変化するのです。

THE HIGH PRIESTESS
Ⅱ 女教皇

正位置 　　　　　　逆位置

Image Phrase　　　　　Image Phrase

高い知力と
理論的判断

周囲に対して
冷酷な批判精神

女教皇の正位置　新たな知識や情報が正しい道を示す

　青い衣装に身を包み、柱と柱の間に鎮座しているのは、知性あふれる女教皇です。この女教皇は豊かな知識を持ち、女性でありながらも感情に振り回されることなく、冷静かつ理論的に物事を判断する力を持っています。女教皇が椅子に座っているのは、行動よりも考えることを優先しているからです。

　このカードはこの女教皇のように、高い知力を持つカードです。頭脳が明晰になっているうえに、感情をしっかり抑えることができるため、合理的な視点から決断を下せますし、仕事や勉強にも集中できて、テキパキとはかどります。特に試験や勉強に関する問題でこのカードが出ると、嬉しい結果になります。記憶力が高まっているため成績は上昇しますし、そのための勉強はスムーズに進むと判断できます。

　ただしジッと座っている女教皇のように、高い知力を持っていても、行動力には欠けてしまいます。

女教皇の逆位置　他人に対してイラッとしてしまう冷淡さ

　「女教皇」は、正位置では理知的な面が強調されていましたが、逆位置になるとそのネガティブな面が表に出るようになります。すなわち、周囲から「冷たい人」と思われるような冷酷さが前面に出てしまうのです。知識を重視しすぎて、他人を「知性のない人だ」と白い目で見たり、人の欠点に対して批判的になったり……。目の前の事柄に対してピリピリしたりイライラしたり女性特有のヒステリー気味な感情も出やすくなります。頭脳ばかり使っていて、精神的余裕を失っているのです。

THE EMPRESS
III 女帝

正位置　　　　　逆位置

Image Phrase　　　　Image Phrase

物質と精神両面のあふれる満足感

際限のない贅沢からくる不満

女帝の正位置　母なる豊かさが表わす成功と満足感

　物やお金にも、そして人々からの愛情にも恵まれている恰幅の良い華やかな既婚女性（女帝）が、ゆったりとした姿勢で座っています。彼女は妊娠していて、心の中には既に豊かな母性が育っているのです。今の彼女はすべての面で満たされていて、不足と感じるものは何一つありません。まさに幸福の絶頂にいる状態なのです。
　この女帝の精神状態のように、このカードには「豊かさ」や「満足感」という意味があります。物やお金にも満たされていて、欲しい物を楽々と手に入れることができるという、満たされた生活を送っているのです。特に愛情に関しては幸運なカードで、このカードが相手の気持ちの位置に出れば、相手はまるで自分の家族に持つような深くて真剣な愛情をあなたに対して持っていると判断できます。他には「実り」という意味もあり、これまで頑張っていたことなどが大きな成功を収めて、物質的にも精神的にも実りを得られることを示しています。

女帝の逆位置　自分の欲望を抑えられない"肥満病"

　「女帝」が逆位置になると、その豊かさが裏目に出て、「欲張り」になってしまいます。例えば食べ過ぎてお腹がいっぱいなのに、まだデザートを食べようとしたり、好きな異性を自分の元に縛りつけようとして、相手のことを考えずひんぱんに連絡を入れたりやたらと干渉したり……。要するに現状に満足できずに「もっと、もっと」という贅沢病になってしまうのです。そんな状態になると、なかなか欲望をコントロールすることができません。食べ過ぎれば生活習慣病に陥り、独占欲が強まればジェラシーも高まり、大きな弊害が生じてしまいますよね？　何でもたくさん抱え込めばいい、というわけではないのです。

THE EMPEROR
Ⅳ 皇帝

正位置 　　　　　　　逆位置

Image Phrase 　　　　　*Image Phrase*

社会的責任と成功を得る

根拠のない過信からくる傲慢

皇帝の正位置　リーダーとして困難に打ち克つ

　カードに描かれている皇帝は、社会的に成功を収めている初老に近い男性です。能力への強い自信と、豊かな経験からくる確かな判断力を持ち、何事も最後までやり遂げる強固な責任感を携えています。そしてお金など世俗的な成功を重視する、現実的な性格なのです。

　皇帝のように、このカードは男性的な性質が強く、女性的な「女帝」とペアで見られることが多々あります。そのため「女帝」が母親であるのに対して、「皇帝」は父親を示します。恋愛を占って男性の気持ちにこのカードが出ると、相手は結婚を考えている、と判断できる場合があります。

　また、このカードが結果や近い将来などの重要な位置に出ると、状況が良い形で安定することを示しています。特に仕事を占って出た場合は幸運度が高く、責任を持って自分の役割りをしっかりと果たし、能力を存分に発揮して、経済的にも地位的にも良いポジションを得られると判断できます。トップに立つことも可能なのです。しかし皇帝の少し寂しげな表情からもわかるように、成功することで孤独を感じることや、私生活を犠牲にすることは否めません。

皇帝の逆位置　ワンマンさが不幸を招く

　「皇帝」が逆位置になると、能力に対する自信が悪い形で出るようになります。特に結果を出していないのに根拠のない自信があったり、実際に能力があっても慢心して、人を見下してしまったり……。ひと言でいえば「傲慢」になってしまうのです。まだ人間として未熟なのに、中途半端に能力があるがために、周囲に威張り散らしてしまう人物でもあります。また地位のある人は、足元が崩れてその地位が揺らぐ心配があります。

THE HIEROPHANT
Ⅴ 法王

正位置   逆位置

Image Phrase   *Image Phrase*

弱者を救う　　　　自分しか考えない
寛大な精神　　　　視野と心の狭さ

法王の正位置　あなたを助けるアドバイスと援助

「女教皇」と同じく聖職者が描かれていますが、「女教皇」が警戒心から心を閉ざしているのに対して、「法王」はすべての人々に知識や助言を与えるような広い心を持っています。法王の表情は穏やかで、法王に接した人は誰もが神を感じ、深い心の安らぎを得ることができるのです。

このカードは描かれた法王のように、優しく穏やかな波動を持っています。「離れていても、いつでも見守っているよ」と言ってくれる、自分の肉親のような存在です。普段はあまり出しゃばらないけれど、あなたが本当に困っているときに、脇からそっと手を差し伸べてくれるのです。そのため「慈愛心」や「親切心」という意味の他にも、「援助」や「良いアドバイス」という意味も持っています。

結果や近い将来などの重要な位置にこのカードが出ると、その問題は法王のような心の広い人物によって、解決することを示します。ですからあなたはただ甘えてしまえばいいのです。

法王の逆位置　周りを気にしない狭い心

親切心の反対は、「狭い心」です。正位置が人々への思いやりを欠かさない寛大な人物であったのに対して、逆位置は「自分さえ良ければいい」という、視野の狭い人物になってしまいます。自分が得することしか考えていませんから、人から何か頼まれても能力や知識の出し惜しみをしたり、人のためにお金を使うのを「もったいない」と感じてしまったりするのです。このカードが結果や近い将来などの重要な位置に出ると、そんな偏狭な人に悩まされたり、自分自身がそんな態度を取ってしまったりすることを示します。

THE LOVERS
Ⅵ 恋人

正位置　　　　　　逆位置

Image Phrase　　　　Image Phrase

ときめく心と
ウキウキする気持ち

軽いムードで
ひとときの快楽

恋人の正位置　遊びも仕事も楽しくて最高！

「恋人」のカードの多くには、幸せそうなカップルが描かれていて、その絵のイメージ通りに恋愛を示すカードです。特にまだ恋愛の初期の頃の、ドキドキとときめく気持ちが強い恋愛を表します。恋愛が楽しくてしかたがない状態なのです。

　同じ恋愛であっても、「真剣に愛し合う」という深い恋愛は「女帝」の方がイメージが近く、「恋人」はもう少し軽いノリの楽しい恋愛になります。エデンの園のアダムとイブが描かれているタロットも多く、二人が蛇にそそのかされて禁断の実を食べることからも、何となくいたずらっぽい二人がうかがえます。また、恋愛以外には「楽しい気持ちやムード」や「良い人間関係」を表します。レジャー運を占ってこのカードが結果の位置に出れば、そのレジャーは大いに楽しめると期待できます。そして仕事を占った場合にこのカードが出れば、職場の人間関係は楽しいものになり、周りと手を取り合って仕事も順調に進むと判断できます。カードに描かれているのが二人であることから、特に二人で組む仕事は楽しく取り組めます。

恋人の逆位置　浮気な心が相手にも仕事にも出てしまう

「恋人」が逆位置になると、正位置が持つ軽いムードが、また一段と軽くなります。そのため恋愛では浮気っぽくなり、複数の異性に関心を持つようになります。すべてにおいて軽薄になり、趣味や仕事もすぐに飽きて、中途半端になってしまうのです。心が定まらない、かなり不安定な状態になります。また恋愛ではその他に、「二人の距離が次第に離れていく」という意味を示す場合もあります。

THE CHARIOT
Ⅶ 戦車

正位置   逆位置

Image Phrase   *Image Phrase*

想像以上の　　　　　　　前進できない
スピーディーな前進　　　暴走と停止

戦車の正位置　猪突猛進！善は急げ！でもゴールは？

　多くのタロットには、白と黒の馬やスフィンクスが引く戦車に乗っている王子が描かれています。白と黒は、光と闇、善と悪など、相反する二元のものを象徴しています。それらが一つの戦車を引くということは、二つの力を上手にコントロールしながら進むことができるということです。

　このカードが占いで結果や近い将来などの重要な位置に出ると、状況がスピーディーに進むことを示しています。また自分か相手の気持ち、状況の位置に出れば、先へ進もうとはやる気持ちがあることを暗示します。恋愛の結果に出れば、どちらかの強いプッシュで二人の関係が一気に前進すると判断できますし、仕事運であれば交渉などの展開が予想以上に速く進むと読み取ることができます。

　前進する勢いの強いカードですが、このカードは先へ進むことを示していても、ゴールできるかどうかまでは示していません。ですから結果で出ても、「いいところまで進んでいける」としか読めない場合があります。また、どこかへ素早く移動すること、すなわち「旅行」という意味も持っています。

戦車の逆位置　スピード違反 or 急停止のトラブル発生

　「戦車」の逆位置のメインの意味は、イメージフレーズのように「暴走」と「停止」の二通りになります。つまり鞭を打って激しく暴走するか、ピッタリと馬が止まってしまうかのどちらかになるのです。そのときの状況や直感に応じてどちらかの意味を選んでください。また逆位置だと白と黒の戦車を引く力を上手にコントロールができなくなるため、迷いや動揺するような精神状態も示しています。

STRENGTH
Ⅷ 力

正位置 　　　　　　　逆位置

 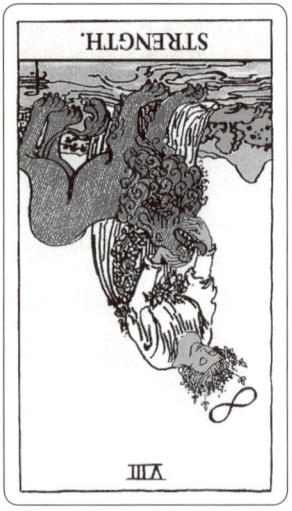

Image Phrase 　　　　　*Image Phrase*

強固な意志で
難問解決

力及ばず
深い落胆

力の正位置　意志と勇気と行動で夢は叶う

　女性が静かに微笑を浮かべて、凶暴な獅子の口を閉ざそうとしています。この女性が平然としているのは決して怪力の持ち主だからではなく、意志の力で獅子をコントロールすることに確固たる自信を持っているためです。獅子は人間の本能を象徴し、女性は人間の理性を象徴しています。

　このカードはその名の通り、大変力強いエネルギーを持っています。「自分で頑張って何とかしよう」という強い意志があり、その強い意志で夢や目標を実現させることができる場合に、占ったときに結果の位置に出てきます。このカードが示す意志には行動力が伴いますから、ただ「何とかしたい」と漠然と考えていたり、話したりするだけではない、「有言実行」という言葉がピッタリ当てはまります。運に任せて棚ボタ式のラッキーを期待したり、誰かの援助を待つのではなく、ただ自分が信じる方向に自分の力で行動を起こし、夢や希望を実現させる……そんな状態を示す、パワーのあるカードなのです。

力の逆位置　燃え尽き症候群で体力・気力がダウン

　タロットは基本的に、正位置の意味が強ければ強いほど、逆位置の意味も同じ程度に強くなります。エネルギッシュな「力」が逆になった場合は、かなり強い脱力感を味わう状態になります。それは頑張りすぎたあとの疲れであったり、自信の喪失からくる激しい落ち込みであったりします。それが極端になると、鬱病に近い精神状態になります。訪れる状況としては、気力が出なかったり行動が空回りしたりして、目的を達成できないことを示しています。

THE HERMIT
IX 隠者

正位置 　　　　　　　逆位置

Image Phrase 　　　　*Image Phrase*

自分の心を見つめる
高い精神性

他人を避ける
閉ざされた心

隠者の正位置　「行動」ではなく「考える」とき

　暗闇の中で、老人が輝いているランプを掲げています。この老人は精神的な悟りを得られた、高い人間性を持つ人物です。欲にまみれた世間に嫌気が差して、一人静かに山の中で暮らしているのです。老人がランプを高く掲げているのは、闇をさまよっている人々を、悟りの方向へと導こうとしているためです。
　このカードは精神性が高く、自分の心を静かに見つめるという意味を持っています。そしてそれは、一人の時間を大事にしなければできないことです。誰にも話すことなく、自分の本当の心と一人静かに対話をしている状態を示しているのです。例えばこのカードが相手の気持ちの位置に出れば、その人は一人でじっくりと、あれこれと考え込んでいることを暗示しています。一人の時間を楽しんでいるため、誰かとワイワイ騒いで楽しんで過ごしているような、活動的な状況ではないと判断できます。現在や自分、相手の状況の位置にこのカードが出れば、あれこれと考えることが多いわりには動きが出てこない、静かな状況を示しています。

隠者の逆位置　誰にもわかってもらえない深い孤独

　「隠者」が逆位置になると、ランプの位置が大きく下がって暗いムードになり、自分を見つめる「内省」のネガティブな面が強く出てしまいます。内省が過ぎて閉鎖的になってしまい、内向的になりがちになります。人に対して心を開けずに、疑い深くなったり、黙り込んだりしてしまうのです。誰かに愛情を感じることも困難になります。そのため周囲の人達と上手に関わることができずに孤立して、深い孤独感を味わってしまいます。結果の位置に出た場合に訪れる状況も、ネガティブで暗さが漂うものになります。

WHEEL OF FORTUNE
X 運命の輪

正位置　　　　　　　逆位置

Image Phrase　　　　Image Phrase

あなたに舞い込む一瞬の幸運

急速に訪れる一時的な悪化

運命の輪の正位置　目の前にはチャンスが待っている！

　くるくると回転する輪は切れ目がないところから、古来から永遠に続く運命のサイクルと重ね合わせて見られてきました。タロットの「運命の輪」は、反時計回りに回転しており、正位置の場合は上昇する右半分にスポットが当てられ、チャンスや運気上昇という意味が強調されます。

　ほとんどのタロットでは輪の右側に、運気の波に乗っている者が少しずつ頂点に向かって昇ってきている姿が描かれています。そして輪が回り続ければ、いつか頂点に立つことができます。

　ただし頂点に立った後も輪は回り続けますから、すぐに下降が待っています。そのためイメージフレーズにある「幸運」とは、瞬時に飛んでくる幸運ということになります。「チャンスの神様は前髪しかない」という言葉はご存知ですね？　「運命の輪」が与える幸運は、永続性のあるものではありません。ただし試験の合否など結果の位置で出た場合は良い結果が期待できて、当然先につながる永続性のある幸運となります。

運命の輪の逆位置　手からすりぬけてしまう幸運

　「運命の輪」が逆位置になると、正位置のときとは逆に、輪の下降する左半分にスポットが当たります。多くのタロットの、回っている輪の左側には、幸運に見放されて下降していく者が描かれています。このカードが結果や近い将来などの重要な位置に出ると、急速に状況が悪化していると感じる状況が訪れます。ただし輪は回り続けますので、正位置の場合では幸運がいつまでも続かないように、逆位置の場合でも不運が終わるときがやってきます。ですから一時的な悪化であると、安心していいのです。

JUSTICE
XI 正義

正位置 　　　　　　　逆位置

Image Phrase 　　　　Image Phrase

均衡を保ちつつ
安定して進む

均衡が崩れ
どっちつかず

正義の正位置　きっちり、しっかり崩れないバランス

ほとんどのタロットの「正義」には、剣と天秤を持った女神が描かれています。この女神は裁判官で、左手の天秤で有罪か無罪かを量り、右手の剣で不正を裁いているのです。女神は無表情で、それは判決を下すときに感情を挟まず、あくまでも合理的かつ平等な視点から、裁判を行うことを示しています。

「正義」は均衡を保っている天秤を持っていることから、バランス感覚の高いカードです。結果や近い将来などの重要な位置に出ると、物事が波風立たずに淡々と、合理的に進んでいくと読み取れます。物事は計画通りに、キチンと進んでいくでしょう。また、同時に二つのことを、バランスを取りながら安定した形で進められることも暗示しています。

ただし感情の起伏がほとんど感じられないカードですから、恋愛においてはあまりロマンチックな展開は期待できません。ハラハラドキドキとは無縁のため、恋愛以外の面でも心が湧き上がるハッピーを望んでいる人にとっては、少々物足りなさを感じるカードになってしまいます。

正義の逆位置　状況不安定で混迷に陥る

「正義」が逆位置になると、天秤がひっくり返ってバランスが大きく崩れてしまいます。どちらがいいのか決断がつかずに優柔不断になったり、二つの物事を同時進行させて、どちらも中途半端になったりします。また正位置とは逆に、何かを判断するのに自分の好き嫌いの感情が入り、偏見や不公平に陥りやすくなります。それほど極端に悪い状態ではありませんが、何事に関しても、どっちつかずのハッキリしない状態になってしまうのです。

THE HANGED MAN
XII 吊るされた男

正位置　　　　　　逆位置

Image Phrase

幸運をつかむための試練

Image Phrase

報われない苦悩を強いられる

吊るされた男の正位置　苦労が大きな実りとなる

　カード名の通り、手足を縛られて逆さに吊るされている男性が描かれています。吊るされた男性は、命も危ぶまれるほどの苦しい状況ですが、不思議とその表情が穏やかです。タロットによっては男性の頭に後光が差しているものもあり、苦悩の末に悟りの境地に達したことを示しています。

　占ったときにこのカードが結果や近い将来などの重要な位置に出ると、「ここで踏ん張らなければいけない」という忍耐が必要な、試練の場面が出てくると判断できます。その試練は並大抵のものではない、大変なつらさを味わうことになりますが、その与えられた苦しい状況から逃げずに克服することによって、結果的には何か大事なものを得ることができるのです。

　その得られるものとは、本当に心から欲しかったものかもしれませんし、人間性の成長であるのかもしれません。楽な状態からは何も得られず、欲しいと思うものが大きければ大きいほど、それに比例して大きな忍耐や苦労が必要になってくるのです。

吊るされた男の逆位置　骨折り損のくたびれ儲け

　このカードは正位置では「苦労が報われる」という意味ですが、逆位置になると残念ながら、「苦労をしても報われない」という意味になってしまいます。そのためイメージフレーズの「報われない苦悩」の他に、「骨折り損」や「無駄な犠牲」という意味も挙げられます。やることなすことすべてが実らずに、徒労に終わってしまうのです。

　一見すると正位置とはそれほどが大差ないようでいて、実はかなり差があるのです。

DEATH
XIII 死神

正位置 　　　　　　　逆位置

Image Phrase 　　　　*Image Phrase*

本人の意志とは関係なく強制終了

生まれ変わることで新しいスタート

死神＝終わり＝通過点
死神の正位置

　ほとんどのタロットの「死神」には、恐ろしい姿の骸骨が描かれていて、地面には死体が転がっています。メディアなどの占いのシーンにはこの「死神」のカードが登場することが多く、世間に「タロットは怖いもの」というイメージを植えつけてしまっています。それは単純に、「死神＝死」と連想してしまうから、といえます。

　しかしこの「死神」が示すものは、人の死に限定しておらず、もっと広い意味で「終了すること」や「中止になること」などを暗示しています。それも自分が望む望まないに関わらず、自然とそうした状況に追い込まれるのです。例えば楽しみにしていた花火大会が雨天で中止になる、という場合が挙げられます。もし相手の気持ちの位置に「死神」が出たのであれば、「別れを考えている」という他に、「相手は今、あなたのことをすっかり忘れている」という読み方もできます。

　現代では、身近における人の死は、そうそう簡単に訪れるものではありません。そして死は誰にでも平等に訪れますが、それは決して終わりではなく、あくまでも生まれ変わりの通過点になるのです。

これまでとは全く違った世界の始まり
死神の逆位置

　「死神」が逆位置になると、一度終了した段階からまた新たな世界が生まれ……という、ポジティブな意味が強くなります。180度状況が変わることから、イメージフレーズは「生まれ変わる」ですが、他には「新しいスタート」や「転換」という意味もあります。何かを失った分だけ、また新たなものを得ることができるのです。逆にいえば、何かを始めるには、何かを完全に終わらせなければいけません。

TEMPERANCE
XIV 節制

正位置 / 逆位置

Image Phrase

想定内の
従順な流れ

Image Phrase

流れることのない
淀んだ水溜り

節制の正位置　水の流れのような自然な結末

　二つの聖杯を持った天使が描かれ、天使は聖杯から聖杯へと、止まることなく液体を移し変えています。そうやってその液体を絶えず循環させることによって、淀ませることなく浄化し続けているのです。

　この「節制」は澄んだ水のイメージが強い、非常に穏やかで純粋な波動を持つカードです。自己主張をすることもなく、水がどんな器にでも形を変えるように、いつでも周囲にすんなりと順応できる素直さを持っています。このカードが結果や近い将来などの重要な位置に出ると、特に創意工夫をしなくてもただ自然の流れに任せるだけで、状況は穏やかに進んでいくと判断できます。そして決して突飛な状況ではなく、大体予想通りの結末に流れ着きます。それだけ自然な流れを示すカードなのです。

　また、相手の気持ちの位置にこのカードが出た場合は、その人は素直で純粋な気持ちを抱えています。気取ることなく、ありのままの自分を出すことができる状態なのです。

節制の逆位置　マンネリムードで停滞

　「節制」が逆位置になると、正位置では循環していた聖杯の液体の動きが止まってしまいます。そのため聖杯の中の液体はすっかり淀んでしまい、腐ってしまいます。

　そうすると新鮮さが感じられなくなって何をするのも億劫になり、「惰性」や「マンネリ」というムードが生まれてしまうのです。しかし穏やかなカードですから、逆位置になっても極端に状況が悪くなるということはありません。例えば恋愛の今後を占ったときに結果に出ると、「二人の関係がだらけたムードになる」と読むことができます。

THE DEVIL
XV 悪魔

正位置   逆位置

Image Phrase

堕落した世界の誘惑に負ける

Image Phrase

これまでの束縛からの解放

悪魔の正位置　怠惰な生活のトリコになる

「死神」と同様に、この「悪魔」もタロットをよく知らない人から恐れられるカードです。中央に大きな悪魔が描かれ、その前に緩い鎖でつながれた男女がいます。鎖が緩いのに男女が逃げようとしないのは、堕落した世界のトリコになっているためです。

　このカードは縛られた男女に象徴されるように、何者かに捕らえられてそこから逃げたくても逃げ出せないような、自由のない状態を示しています。ただし決してそこは苦痛の世界ではなく、まるで何かの中毒にでもなったような恍惚とした快楽が与えられているのです。「ここから出なければいけないけれど、外の世界はつらいから出たくない……」という、安楽で快楽的な世界に逃げ込んでいる状態なのです。その世界にいる限り、人間性は堕落する一方で、精神的な成長はありません。また堕落した世界ということで、犯罪や悪い仲間、家から出られないような精神不安、健康を害するような不摂生な生活なども示します。

悪魔の逆位置　鎖から解き放たれて悩みも解消

基本的に正位置がネガティブな意味を持つカードは、逆位置になるとポジティブな意味に変化します。「悪魔」が逆位置になると、束縛から解放されることになります。例えば長年の悩みが解消したり、ハードワークにケリがついたり、病気が回復したり、ということが挙げられます。状況が好転して、肩の力がフッと抜けるような、楽な状況になれるのです。

　ただし恋愛に執着する人にとっては、その執着が解消する、つまり相手と疎遠になるという否定的な意味になる場合があります。

THE TOWER
XVI 塔

正位置 　　　　　　　　逆位置

Image Phrase 　　　　　　*Image Phrase*

あなたを襲う突然の崩壊

崩れるか崩れないかの緊迫状態

塔の正位置　突然降りかかるアクシデント

「死神」や「悪魔」に続き、この「塔」も恐れられているカードです。すべてのカードの中で、一番ネガティブなカードであるといえます。

このカードの絵で塔に落ちている雷は、一瞬にして建物を崩壊してしまいます。そのためこのカードは強い破壊力を持ち、占ったときに結果や近い将来などの重要な位置に出ると、今まで信じてきた世界や積み上げてきた物事が、一瞬にして破壊される心配があります。そのため強烈な精神的なダメージを受けてしまうのです。例えば大地震などの災害も、「塔」の意味に含まれます。ですからどのような占いでもこのカードが出てきたら警戒が必要です。

ただし何かを改革したり新しいものを生み出したりするためには、今ある状況を破壊する作業は必要不可欠。ですから「塔」は、悪札であると完全に決めつけることはできません。「塔」で起こる崩壊は、新しい世界を生み出すキッカケになる可能性を秘めているのです。

塔の逆位置　崩壊する一歩手前

正位置でネガティブな意味を持つ「塔」は、残念ながら逆位置になってもほとんどポジティブな結果にはなりません。正位置とそれほど変わらないほど、逆位置でも強いネガティブさを持つのです。ただし正位置では完全な崩壊を示すのに対して、逆位置では「崩れるか崩れないかの緊迫状態」という、正位置よりも過激ではないイメージフレーズになります。

緊迫状態とは、何かが崩れる一歩手前の状態です。崩れるか崩れないかの瀬戸際なため、緊張感は正位置のときよりも強くなります。逆位置になっても要注意状態であることには、変わりはないのです。

THE STAR
XVII 星

正位置 　　　　　逆位置

Image Phrase 　　　　　*Image Phrase*

光輝く理想や希望を持つ

理想が崩れて幻滅する

星の正位置　現実味の乏しい憧れ

「星」には、全裸の女性が星空の下で、二つの水瓶から海と大地に水を流している姿が描かれています。

輝く星の下で、若く美しい女性が水辺にたたずむ姿はどこか幻想的で、まるで夢の中の一場面のようです。そのためイメージフレーズには「理想」や「希望」が与えられています。このカードが占ったときに結果や近い将来などの重要な位置に出ると、ロマンチックな気分に浸れる出来事が訪れます。例えば恋愛運を占ったときに結果の位置に出れば、まさに理想のタイプの異性を発見できると判断できます。また、新たな夢や希望が見つかる、と読み取れることもあります。しかし残念ながら、このカードが結果に出たからといって、理想や希望が現実のものとなるというわけではありません。ただ「ロマンチックな気持ちになれる」ということです。それだけ精神性が高く、非現実的で実体のないカードなのです。ですから現実的な形の結果になるかどうかは、別のカードを参照することになります。

星の逆位置　理想が高くてガッカリ

逆位置では正位置の「理想」が一気に覆されて、「幻滅」へと変わります。まるで夢から覚めたような、ガッカリした気分になってしまうのです。そして「星」のカードを逆さにすると、上方に水が多くなります。その水が下に落ちていくため、逆位置には「涙を流す」という意味も含まれ、そこから「悲しみ」という意味も読み取れます。現実の厳しさを思い知らされる結果となるのです。

また、アウトドアやレジャーなどの屋外イベントを占って出た場合、「雨が降る」と判断できることもあります。

THE MOON
XVIII 月

正位置 / 逆位置

Image Phrase

結果が見えない
不安な気持ち

Image Phrase

これまでの
誤解や不安の解消

月の正位置　暗中模索で良いか悪いかもわからない

　多くの「月」のカードには夜空に満ちていく大きな月が描かれ、地上では光と闇という二つの柱の間で、犬と狼が月に向かって吠えています。

　犬と狼の遠吠えがこだまするような、不安な気持ちをかき立てる絵柄だと思いませんか？　月に描かれた表情も、どこか不安げです。このカードのイメージフレーズはまさに「不安な気持ち」です。占ったときにこのカードが相手の気持ちの位置に出れば、その人は不安を抱えていると読めるのです。

　そしてこのカードが結果の位置に出ると、「しばらくの間は、ハッキリしない状態が続く」という意味になります。すぐにイエスかノーの結果を知りたい人にとっては、納得できない答えでしょう。しかし占ったときの段階では、先がハッキリ見えないということを、カードは教えてくれているのです。そのような場合、時間を置いて状況が変わってからもう一度占ってみれば、もう少しハッキリした未来が見えるはずです。また、このカードには「誤解」という意味もあります。

月の逆位置　迷いも消えて視界は良好！

　「月」が逆位置になると、正位置の混沌としたムードが、まるで雲が晴れたようにスッキリとします。不安だった状況がハッキリとしてキレイに解消されたり、誤解していたことや誤解されていたことが解決して気持ちが軽くなります。

　特に現在、不安や誤解がないのに、占ったときに結果や近い将来などの重要な位置にこのカードが出た場合は、物事が順調に進むなどクリアな状態が訪れると読むことができます。

THE SUN
XIX 太陽

正位置 　　　　　　　　逆位置

Image Phrase 　　　　*Image Phrase*

屈託なく明るい
状況が訪れる

願いを否定する
暗黒の世界

太陽の正位置　キラキラした輝きがあなたを幸せに

タロットの「太陽」には、上部の中央に明るく光輝く大きな太陽が描かれ、真夏の象徴であるひまわりの花や、屈託のなさを象徴する小さな子どもが添えられている場合があります。気持ちが沈んでいるときに外に出て陽光を浴びると、誰もが明るい気分になりますよね。実際に太陽の光には、交感神経を活発に働かせて気分をイキイキとさせる作用があります。

陽光に満ちあふれているこのカードは、非常に明るく開放的なエネルギーを持っています。占ったときにこのカードが結果や近い将来などの重要な位置に出れば、あなたの心を明るく輝かせる状況が訪れます。相手の気持ちの位置に出た場合は、その人は元気で開放的な気持ちになっていることを示しています。また、「太陽」には「成功」や「栄光」という意味もありますが、精神性が高いカードであるため、実際には結果の位置に出ても、富などの物質的な成功にはあまり関係しません。ただ明るい気持ちになれる状況が訪れるということです。形のない名誉や名声は得ることができます。

太陽の逆位置　沈んだ太陽が「ノー」と宣言

「太陽」が逆位置になると、太陽が沈んだ形になります。そのため正位置とは正反対の、暗黒の状態が訪れます。逆位置の方がエネルギーが強いカードで、イエスかノーかの質問に対して、ハッキリと「ノー」を示します。それだけ状況が悪化するなど、ネガティブな意味が強いのです。占いに出ると落ち込みやすい状況が訪れますから、今期待している物事は実現しにくくなります。

イメージフレーズの「暗黒」からイメージされるような、あなたを否定する人や悪事を働く人、腹黒い人を示すこともあります。

JUDGEMENT
XX 審判

正位置 　　　　　　逆位置

Image Phrase 　　　　　*Image Phrase*

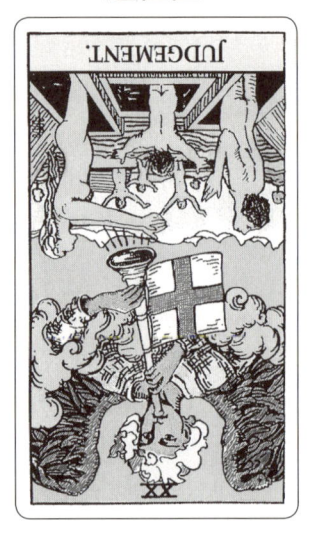

復活への
キッカケを
つかむ

神からの警告と
罰則が与えられる

審判の正位置　失敗したことに再チャレンジすると吉

　このカードには、キリスト教の「最後の審判」の様子が描かれています。空では大天使がラッパを吹き鳴らし、死者が次々と墓から蘇っています。この「最後の審判」ではキリストが降臨して蘇った死者を裁き、永遠の生命を与える人と地獄に落ちる人とに分けるのですが、正位置では永遠の生命を与えられる人の方にスポットが当たります。

　そのため、「審判」のイメージフレーズは「復活」です。一度終わった物事が再スタートを切る場合もありますし、過去に一度失敗したことに再チャレンジするキッカケが到来する場合もあります。そしてこのカードは「永遠の生命」という意味からもかなりエネルギーが強く、確固たる信頼や、神に祝福されるような正しい出来事なども示しています。占ったときにこのカードが結果や近い将来などの重要な位置に出た場合は、その問題はあなた自身も驚くほどうまく進むと同時に、正しい方向へ進む出来事のために、周りの人達も喜んで応援してくれます。

審判の逆位置　「太陽」と同じく物事を完全否定

　「審判」が逆位置になると、正位置のときとは逆に、「最後の審判」で裁かれて地獄に落ちる人にスポットが当たります。「審判」の逆位置はネガティブなイメージが非常に強く、物事を完全否定していることは間違いありません。イエスかノーかの質問であれば、「太陽」の逆位置と同様に、完全に「ノー」という結果になります。地獄に落ちるために、何かが消滅したり忘却したりします。また、逆位置でもエネルギーは強く、カードがあなたに何かの警告を発していたり、あなたを罰する出来事が起こると伝えていたりする場合もあります。

THE WORLD
XXI 世界

正位置 / 逆位置

Image Phrase

完成された世界が
もたらす幸福感

Image Phrase

惰性に流される
未完成な状態

世界の正位置　全タロット中、最良を示すカード

大アルカナ最後のカードである「世界」は、すべての中で一番良い力を持つカードです。「世界」には、中央にほぼ全裸でダンスを踊る女性が描かれていて、その表情は我を忘れてうっとりとしています。

「世界」のイメージフレーズは「完成された世界」で、これ以上の理想はないほど完成された状態を示します。占ったときに「世界」が結果や近い将来などの重要な位置に出れば、最高レベルの幸福感に包まれる感動的な出来事が、あなたに訪れると判断できます。何かで頑張っていた人も、満足できる最高の結果を得られます。ただし「太陽」以上に精神性の高いカードであるため、富や社会的な成功など、俗的な成功とは関係なく出る場合があります。

また「完成」という意味であることから、「何かの完了」を伝える場合もあります。それは追い求めていた物事の打ち切り、ときには生命の終了などを暗示しますが、決してつらい結果になるのではなく、あふれる幸福感が伴っているのです。

世界の逆位置　悪い意味ではない「未完成」

基本的にカードの力が強いほど、逆位置になるとネガティブな意味が強まりますが、「世界」においては例外です。逆位置になっても極端に悪い意味にはなりません。正位置だと「完成」ですが、逆位置でも崩壊などの破天荒な意味にはならず、「未完成」という意味になります。精神的な面においては、気持ちがシャキッとせずにだらけてしまっている状態。新しいことにチャレンジする意欲もなく、惰性に流されてしまう状態です。ただし「物足りない」という程度で、それほど悪い出来事は起こりません。

Tarot Column 2

「大アルカナ」と「小アルカナ」って何？

　本書では22枚のタロットカードを取り上げています。ただしタロットは、本当は全部で78枚あるのです。

　78枚すべて揃っている状態を「フルセット」といい、このフルセットは「大アルカナ」と呼ばれる22枚と、「小アルカナ」と呼ばれる56枚に分けられます。「大アルカナ」は「愚者」から「世界」までの22枚で、既に説明しましたね。

　「小アルカナ」は、皆さんご存知のトランプと強い関わりがあり、その構成もトランプと非常に似ています。トランプはクラブ、ダイヤ、スペード、ハートですが、小アルカナは棒、金貨（ペンタクル）、剣、聖杯となり、それぞれ順に火、地、風、水と四元素に対応しています。

　またトランプには1（エース）から10までの数札がありますが、それは小アルカナも同じです。それ以外に人物カードとして、トランプではジャック、クイーン、キングの3種類がありますが、小アルカナでは「コートカード」と呼ばれるペイジ、ナイト、クイーン、キングの4種類があります。

　タロットカードのエネルギーの強さを順に並べると、大アルカナ→コートカード→数札になります。様々な象徴が織り込まれている大アルカナは、やはり強いパワーがあるのですね。

　フルセットで占うと、大アルカナだけで占うときに比べて、細かい部分まで読み取ることができるようになります。カードの種類が増えて大変かもしれませんが、本書で大アルカナの占いに慣れたら、フルセットでの占いに挑戦されてはどうでしょうか。

II タロットカード占い

1 タロット占いの基本

⛧ 複雑なスプレッドも基本は一緒！

　タロットカード1枚1枚の意味を把握して、大まかにでもイメージフレーズを覚えたら、早速占いに入ってみましょう。まずは、占うときの心構えなどについて説明します。

　タロット占いには、何よりも集中力が大切です。ですから占う場所は静かで落ち着ける場所を選びましょう。占う時間帯は集中できればいつでも大丈夫ですが、深夜1時以降は避けた方がいいでしょう。また、疲れているときや感情の起伏が激しくなっているときも占いを避けてください。

　タロット占いはカードが汚れないように、清潔な場所で行います。できればテーブルの上にカードがすべりやすい光沢のある布を敷いて占うのがベストです。

　タロット占いは「スプレッド」といって、決まった形にカードを並べて占うという、様々な種類の展開法があります。本書では誰でも気軽にはじめられるように、枚数の少ないスプレッドを紹介しています。

　スプレッドが違っても、タロット占いの過程は、カードを並べる段階までは全く同じですので、それから先は、各スプレッドのページに飛んで、そのまま占いを続けてください。

Step 1　カードを混ぜる

　タロットカードの山を裏向きにして目の前に置き、それを両手で崩します。そして質問事項を頭の中で念じながら、両

手で時計回りにカードを混ぜ続けます。自分の手からパワーをカードに注入するように意識してください。このときに、どのスプレッドを使うのかも思い浮かべてください。

Step 2　カードをまとめる

「もういいだろう」と思ったら混ぜている手を止めて、カードを両手で一つの山にまとめます。カードを横向きにまとめた場合、基本的にカードの山の左端が頭になるようにします。他人を占う場合はカードの山の右端が頭になるという説もありますが、「どんな場合でも左側が頭」と決めてしまって問題ありません。

Step 3　カードをカットする

　まとめたカードの山を、質問事項を念じながら三つに分けて、それを最初とは順番を変えて一つの山に戻します。他人を占う場合は、相手にカットしてもらい、そして山をまとめてください。このカットは省略しても問題ありません。
　これで、準備完了です。ここから先は、それぞれのスプレッドのページへ飛んで占いを続けてください。

Tarot Column 3

タロット占いの基本のおまけ

Q1 シャッフルしているときにカードが表向きになったり、まとめる途中でばらけた場合、そのまま気にせず占いを続けてのいいのでしょうか？

カードを混ぜているときに、時々1枚もしくは数枚のカードがひっくり返って表を向いてしまったり、混ぜている場所から飛び出してテーブルの下に落ちてしまったりすることがあります。このときはサッとカードを裏向きにしたり元の位置に戻したりして、また何事もなかったように混ぜ続けてください。ただし飛び出したり表を向いたカードにも意味があるといわれますので、スプレッドしたときに出なかったとしても、そのカードが何であったかを覚えておくといいでしょう。

Q2 ヘキサグラムなどの枚数が多くて複雑なスプレッドの際に、カードの配置を間違えてしまった場合（例えば、「現在」と「近い将来」を逆に置いてしまった）は、やり直した方がいいのでしょうか？

配置を間違えてしまった場合は、カードを出した順番にカードの山に戻せる場合は、すべてはじめの山の形になるように戻して、再度正しい順番に並べるようにします。元の山の形に戻すのが困難であるなら、もう一度はじめの混ぜるところからやり直しましょう。

Q3 折れたり曲がったり切れてしまったカードや汚れの酷いカードは占いに問題はないのでしょうか？　処分方法で気をつけることはありますか？

占う際に支障がないのであれば、少々折れていたり曲がっていたり、汚れていたりしてもそれほど問題はありません。ただしカードが混ぜにくかったり、裏から見ても何のカードか判別できたりするなど、占いに支障が出てくるようであれば、使用するのをやめましょう。カードを処分するときは箱にカードを順番通りにまとめ、感謝の意を念じながら、普通に捨ててしまって大丈夫です。

One Oracle
2 ワンオラクル

> 今日の運勢

⛤ カード1枚で今日の運勢を占ってみよう！

「ワンオラクル」とは、1枚のタロットカードで占いの結果を出す、タロット占いの中でも最も簡単な方法です。時間がないときでも簡単に占えて、「イエス」か「ノー」かがハッキリとわかります。また「今日一日の運勢」を占うのにも適しています。まずはワンオラクルで各カードに慣れ親しむように心がけてみてください。

「タロット占いの基本（58ページ）」で、カードを混ぜてまとめてカットしたあと、そのカードの山を裏向きのまま、片手で崩して横一列に、ほぼ全カードが同じ間隔になるように並べます。そして質問事項を頭の中で念じながら、ピンとくるカードを1枚選んでください。カードには「正位置」と「逆位置」がありますから、カードの上下をひっくり返さないように気をつけてください。横からその選んだカードをめくって確認します。これでワンオラクルは完了です。

ワンオラクルは直感でカードを1枚選びますので、カードを選ぶときは、しっかり意識を集中させましょう。

62ページ〜63ページの表から選んだカードを探して、占いの結果を確認してみましょう。今日の運勢はどうなっているのか、そして「イエス」か「ノー」かを占った場合、この答えはどちらなのかが見えるはず。「イエス」か「ノー」かを知りたい場合は、表の◎と○が「イエス」で、△と×が「ノー」となります。また、この◎（とても良い）、○（良い）、△（普通）、×（悪い）は、カードの吉凶の度合いも示しています。

ワンオラクルでわかる今日の運勢　正位置

カード	運勢	ワンポイントアドバイス
愚者	△	これといった目的がなく過ごすものの、結果的には楽しい一日に。
魔術師	○	周りを気にせず一人で自由に行動して、確かな手応えを得られそう。
女教皇	○	勉強運が好調。本やインターネットで良い情報が見つかる予感。
女帝	◎	大切な人と一緒に過ごして愛情を実感できて、幸福感あふれる一日。
皇帝	◎	自分の役割りをしっかりこなして、周囲から実力を認められるはず。
法王	○	目上の人からの親切心に助けられる一日。目下の人に優しくするのも吉。
恋人	○	恋心を示されて大きなトキメキを感じそう。レジャーも楽しい一日。
戦車	○	何かと移動が多く、慌しい一日。遠出をする場面も出てくるかも。
力	◎	目標に向かって全力で頑張ることができて、満足感を得られる暗示。
隠者	△	人と接する機会が少なく、一人で過ごす静かな一日になる気配あり。
運命の輪	◎	待ち望んでいたラッキーチャンスや嬉しい話が舞い込んできそう！
正義	○	波風がなく、自分のやるべきことを予定通りに淡々とこなせるはず。
吊るされた男	△	用事が多くて何かと忙しく、自由に動ける時間を持ちにくいかも。
死神	×	楽しみにしていたことがキャンセルになるなど、予定の変更あり。
節制	○	周囲の人達と順調に交流できる、トラブルのない安定した運気。
悪魔	×	体調が悪くなったり、苦手な用事を任されたりと、気が重い一日。
塔	×	予想していなかった出来事が起こり、ビックリしてしまうかも。
星	○	ワクワクするようなロマンチックな予定が入ってくる可能性あり。
月	△	周りの人の気持ちが見えずに、必要以上に心配してしまいがち。
太陽	◎	オープンな気持ちになれて、誰とでも和気あいあいと過ごせそう。
審判	◎	今まで頑張ってきて良かった、と思える出来事が訪れる予感。
世界	◎	心から感動することができて、ハッピーな一日を送れるはず。

ワンオラクルでわかる今日の運勢　逆位置

カード	運勢	ワンポイントアドバイス
愚者	×	いろいろなことに手を出すも、どれも中途半端な結果に。
魔術師	△	何となく周囲に流されているうちに、一日が終わってしまいそう。
女教皇	△	考えることが多く、頭脳を酷使しがち。言葉遣いが雑になる心配も。
女帝	×	異性とのトラブルに注意。気がある素振りをするのは避けること。
皇帝	△	自信過剰な態度が周りの人の反感を買うので、謙虚に過ごしたい一日。
法王	△	周りの理解を得られないかも。何でも自力でこなした方が無難。
恋人	△	時間など約束事がルーズになり、いい加減な人だと思われる心配が。
戦車	×	動けば動くほど結果が裏目に出てしまい、エネルギーを浪費しがち。
力	×	自分のコンプレックスを刺激され、ドーンと落ち込んでしまうかも。
隠者	△	周りに心を閉ざして本音を出せずに、気がつけば孤立していそう。
運命の輪	×	期待していたことが実現せず、ガックリと肩の力を落としやすい一日。
正義	△	同時に二つのことに手を出して、どちらも中途半端になりがち。
吊るされた男	×	頑張るわりには成果が出ずに、疲れるだけで終わってしまいそう。
死神	○	新しい展開が訪れて、状況が好転していることを実感できるはず。
節制	△	公私ともに変化が少なく、マンネリムードを味わいやすい一日。
悪魔	○	今まで苦痛だと思っていた状況から、抜け出すことができる予感。
塔	×	隠し事がバレたり人に欠点を指摘されたり、緊張感が漂う日。
星	×	現実の厳しさを思い知らされ、悲しい気分になってしまうかも。
月	○	苦手な人の長所を発見するなど、誤解していたことに気づくかも。
太陽	×	何をしても失敗しやすいので、大きなことに取り組むのは禁物。
審判	×	期待していたことは起こらずに、肩の力が抜けてしまいそう。
世界	△	刺激が少なく、ぬるま湯に浸かったような気分の一日。

Two Mind
3 ツーマインド

|上｜表面意識|

|下｜潜在意識|

⭐ **気になるあの人の心の内は？**

　1枚で占うワンオラクルを少しバージョンアップさせて、2枚のカードで一つの問題をより具体的に占うスプレッドを、2種類ご紹介します。

　2枚のカードを上下に並べるバージョンと、左右に並べるバージョンのスプレッドがありますが、まずは上下に並べるバージョンについて説明しましょう。スプレッド名は、「ツーマインド」です。

　鑑定を受けていて、相談内容の中で一番といっていいほど多いのは、「気になる相手の自分に対する気持ち」です。その相手とは、仕事仲間や家族、友達の場合もありますが、やはり断トツで多いのが、好きな異性の気持ちを知りたいという相談です。

　このツーマインドは、「人の気持ちを占う」専用のスプレッドになります。上のカードが相手の表面意識を、下のカードが相手の潜在意識を表します。ただし占う相手が恋愛の対象の異性である場合は、（上）が「相手の質問者に対する印象」を、そして（下）が「相手が質問者に恋愛感情を持っているかどうか」という内容に変わります。潜在意識を示す下のカードの方が、上のカードよりも常に重要度が高くなります。

　「タロット占いの基本（58ページ）」を見て、カードを混ぜてまとめてカットしたあと、そのカードの山の上から7枚目を（上）に置いてください。そして手の残ったカードの山からさらに7枚目（つまり14枚目）を、（下）の位置に置いてください。カードの上下をひっくり返さないように、横からめくってください。これでツーマインドは完了です。

| 恋愛 | 仕事・学業 | 健康 | 金運・買い物 | 友人・家族 | その他 |

Case 1　同じ職場の年下の男性の恋愛感情は？

最近職場に転職してきた男性に、恋をしました。相手は10才も年下で、私の方が上の立場です。デスクが隣のため時々気さくに雑談を交わし、彼が私に甘えた態度を取ることもあります。彼は私に恋愛感情を持っていますか？（38才・OL）

上　表面意識

恋人　THE LOVERS. (VI)

下　潜在意識

審判　JUDGEMENT. (XX)

Answer

Point　恋愛問題を占うときは表面意識よりも潜在意識を重視

　結婚の道を選ばない女性が増えたせいか、ここ最近こうした30代後半や40代の女性が、かなり年下の男性に恋愛感情を持つパターンが増えてきているようです。

　既に説明しましたが、ツーマインドは上のカードが相手の表面意識を、下のカードが相手の潜在意識を表します。ただし今回は恋愛問題ですから、（上）が「相手のあなたに対する印象」、（下）が「恋愛感情を持っているかどうか」という組み合わせに変わります。

　恋愛問題では、「恋愛感情を持っているか」というのは、かなり重要になるはずで

65

| 恋愛 | 仕事・学業 | 健康 | 金運・買い物 | 友人・家族 | その他 |

す。あなたに「いい人だな」という好印象を持っていても、肝心な恋愛感情がないのであれば、告白をしても結局は「ごめんなさい」で終わる可能性が高いのです。ですから恋愛を占う場合は、上のカードを30％、そして下のカードを70％程度重視するようにしてください。恋愛感情の有無を強く知りたい場合は、下のカードを90％重視してもいいでしょう。

　占ってみたところ、（上）には「恋人」の正位置を、（下）には「審判」の正位置を得られました。「恋人」はまさに恋愛の意味を持つカードであり、「審判」は強い信頼を表すカード。「状況は良くないのでは……」と心配して占いに訪れる人が多いですから、実際に占ってみても冴えないカードが出る場合が目立つものです。ですからたとえ2枚でも、このように両方好ましいカードが出るというのは比較的珍しいのです。

　下のカードが「審判」ということは、「彼は恋愛感情を持っている」と判断できます。また表面意識が「恋人」ということは、「恋愛対象としてあなたに魅力を感じる」「一緒にいると意気投合して楽しい」という印象があるでしょう。ただし審判はラブラブな気分よりも、「人間として信頼している」という意味合いの方が強く、恋愛として意識すると同時に、大切な仕事仲間だという意識もあり、今のあなたとの良い関係を崩したくないと思っている可能性も否定できません。

　それでも「審判」は、かなり心を開いていることを示しています。彼もほぼ同様に、あなたを強く恋愛の対象として意識しているでしょう。あとは仕事のつながりと恋愛関係との両立を、どう取っていくのかが鍵になるといえそうです。

| 恋愛 | 仕事・学業 | 健康 | 金運・買い物 | 友人・家族 | その他 |

Case 2　クラスメートの男の子と目がよく合うのですが

　普段からほとんど会話をすることのないクラスメートの男の子と、最近よく目が合うような気がします。私は彼のことを何とも思っていませんが、なぜ目が合うのかが気になります。彼の私に対する気持ちを教えてください。（16才・女子高生）

上
表面意識

運命の輪

下
潜在意識

戦車（逆）

Answer

　ハッキリとした恋愛問題ではありませんが、念のため（上）を「あなたに対する印象」、（下）を「恋愛感情があるか」に設定して占いました。（下）は「戦車」の逆位置ですから、恋愛感情は持っていないようです。戦車を引く二つの力が逆位置で調和しないように、あなたに価値観や性格の違いを感じて、今一つ気持ちを踏み込めずにいるのでしょう。

　あなたへの印象は「運命の輪」の正位置。輪が回り続けて頂点に達したように、最近になってあなたに興味を持ち出したと読めます。それはあなたのちょっと意外な性格や行動を発見するなどのキッカケから来ているのでしょう。「運命の輪」ですからあくまでも一時的な関心であり、そのうち目は合わなくなるのではないでしょうか。

Case 3　結婚話をもちかけると彼が避けてしまいます

　交際して2年になる恋人がいます。年齢が年齢なのでそろそろ結婚を……と思うのですが、結婚の話を出しても彼はいつものらりくらりとかわしてしまいます。実際のところ、彼は私との結婚を考えているのでしょうか？（31才・女性・販売員）

上　表面意識

魔術師（逆）

下　潜在意識

死神

Answer

　両方ともネガティブな意味を持つカードであり、かなりハッキリとした結果を得られました。彼の結婚に対する表面意識の「魔術師」の逆位置は、「絶対に結婚したくないというほどではないけれど、どうも乗り気になれない」という優柔不断さを表しています。「そのうちに進めればいいか」という曖昧さがあるので、ついお茶を濁したくなるのでしょう。

　そして潜在意識は「死神」の正位置。彼自身はもしかしたら気がついていないかもしれませんが、潜在的にはあなたとの結婚を、残念ながら全く望んでいないようです。結婚願望自体、持っていないのでしょう。それでもあなたとの別れを考えていないので、「結婚したくない」とも言えない状況なのです。

| 恋愛 | 仕事・学業 | 健康 | 金運・買い物 | 友人・家族 | その他 |

Case 4　職場内でW不倫をしてしまうおそれが

　同じ会社の派遣で働いている既婚女性が気になっています。僕自身も既婚で恋愛に発展するとW不倫になるため、積極的に押すつもりはありません。彼女は僕を恋愛対象として意識しているのか、それだけ知りたいのですが……。（40才・男性・会社員）

上
表面意識

悪魔

下
潜在意識

世界（逆）

Answer

　今回は上のカードを「あなたに対する印象」、下のカードを「恋愛感情があるか」に設定して占いました。（下）は「世界」の逆位置で、それなりに好意はあり、恋愛対象として全く見られないほど冷めてもいないのですが、恋愛感情があるかないかというと、「ない方に近い」ということになるでしょう。それでも家族のような温かい情は持っていそうです。

　そして気になるのが、上のカードの「悪魔」の正位置。束縛されている重い感覚を持っているようです。また「悪魔」は不倫のイメージもあるため、既に彼女はあなたの気持ちに気がついているのではないでしょうか。そのためあなたと不倫のイメージが重なり、あなたを見たり思い出したりするたびに、困惑してしまうのでしょう。

69

| 恋愛 | 仕事・学業 | 健康 | 金運・買い物 | 友人・家族 | その他 |

Case 5　好きな彼には彼女がいるようですが

　好きな男性には、長く交際している彼女がいます。私は彼に半年ほど前に告白しましたが、「彼女がいるから」と振られてしまい、今では友達です。彼は本当に今でも彼女を愛しているのでしょうか。知って納得したいです。
（21才・女子大生）

上
表面意識

塔（逆）

下
潜在意識

愚者（逆）

Answer

　彼の彼女への印象を示す上のカードに「塔」の逆位置が出ました。これは現在二人の間にちょっとしたトラブルが持ち上がって、緊迫状態が漂っているのでは……と考えられます。そして彼の彼女への愛情の有無を示す下のカードは「愚者」の逆位置。これは彼が何か他のことに気を取られているなど、愛情を彼女に集中させることができないか、すっかり恋愛感情を忘れているかのどちらかのようです。
　2枚を合わせて読むと、彼はいろいろなことで忙しくて、彼女との恋愛にしっかりと意識を向けることができていないのではないでしょうか。そのため「今は彼女を愛していない」といえるでしょう。ただし忙しい彼に今あなたが接近しても、空振りしそうです。

| 恋愛 | 仕事・学業 | 健康 | 金運・買い物 | 友人・家族 | その他 |

Case 6　絵画教室での先生からの評価は？

　絵画教室でデッサンを学んでいますが、自分の腕前がどの程度のレベルなのかがわかりません。教室の先生は、他の生徒に比べると、僕のデッサンの腕前をどれだけ高いと思っていますか？　先生の評価を教えてください。（19才・男性・フリーター）

上　表面意識

戦車（THE CHARIOT）

下　潜在意識

月（逆）（THE MOON）

Answer

　下の潜在意識の方がパワーが強くて重要度が高いのですが、それが「解消」という意味の「月」の逆位置とちょっと読み取りにくくなっています。「月」の逆位置のキーワードは「解消」でスッキリしたイメージですから、普段はこの先生は、あなたの腕前のことをほとんど考えていないのでしょう。もしかしたらあなたのデッサンがどんなものであるかも、すぐに思い出せないかもしれません。

　そのため表面意識の「戦車」の正位置が重要です。先生はあなたの作品を見たときに「勢い」を感じるようです。例えば見るたびに腕前が上達しているとか、制作のスピードが速いとか、ポジティブな印象を持つのでしょう。結論としては、先生のあなたの腕前の評価は高めであるといえます。

| 恋愛 | 仕事・学業 | 健康 | 金運・買い物 | 友人・家族 | その他 |

Case 7　上司にどう思われているのでしょうか？

　直属の上司がいます。その上司が気分屋で、機嫌がいいときは明るく笑顔で話しかけてくるのですが、気分が乗らないときは声をかけても不愉快そうな態度を取られます。実のところ、どう思われているのでしょうか？
（32才・男性・会社員）

上
表面意識

女教皇（逆）

下
潜在意識

女帝

Answer

　表面意識と潜在意識に、かなり性質の違うカードが表れました。（上）の「女教皇」の逆位置は、あなたに甘くしないように、厳しい視線と態度で接していこうとする意志がうかがえます。ただし重視するべき潜在意識は、豊かな情を示す「女帝」の正位置。根本的にはあなたの肉親のような深い情を持ち、無条件であなたを大事に思ってくれていることでしょう。ですからあなたが困っているときには、親身になって力を貸してくれると思われます。

　2枚のカードを合わせてみると、根本的にはあなたに好感を持っていますが、普段はそれを表に出さないように心がけているようです。不愉快そうな態度や冷たい態度を取られても、その裏には温かさがあると思っていいでしょう。

| 恋愛 | 仕事・学業 | 健康 | 金運・買い物 | 友人・家族 | その他 |

Case 8　同僚が嫌みを言ってきます

　社内での早い出世を目指して、積極的に残業をするなど日夜頑張っています。しかし最近、同僚が何かと嫌味を言うようになってきました。この同僚は自分に対して、強いライバル意識を持っているのでしょうか。
（26才・男性・会社員）

上
表面意識

世界
THE WORLD．

下
潜在意識

女教皇（逆）

Answer

　ライバル意識は、意外と本人でも持っていることに気がつかないものです。あなたに対する同僚の表面意識は「世界」の正位置。表向きには、相手はあなたの活躍振りに注目していたり、尊敬していたりするようです。頑張っているあなたをまぶしく思う場面もあるでしょう。

　しかし肝心の潜在意識は、「女教皇」の逆位置。潜在的な部分ではあなたを批判して、ピリピリした感情を持っています。「悔しい」「自分の方が優れているはずだ」という、まさにライバル意識があると断言できるでしょう。心の奥では「自分の方が上だ」と自負しているのです。その葛藤が、嫌味として表れるのかもしれません。ただし裏を返せば、それだけあなたの実力を認めているということです。

| 恋愛 | 仕事・学業 | 健康 | 金運・買い物 | 友人・家族 | その他 |

Case 9　息子の嫁があまり実家に来ません

　長男である息子の嫁が、あまりこちらの実家に来ません。たまに来ても笑顔が少なく、どことなくよそよそしいムードを感じます。嫁はこちらの実家に来て、私や主人と会うことをどう思っているのかが気になります。（59才・主婦）

上　表面意識

恋人

下　潜在意識

節制（逆）

Answer

　よそよそしさを感じるということですが、お嫁さんの表面意識に「恋人」の正位置が出ていて、実家に行くことを意外と苦痛とは思っていないようです。むしろあなたやあなたのご主人に好感を持っていて、「実家へ行くと、楽しい時間を過ごせる」と思っている気配があります。

　ただし潜在意識のカードは「節制」の逆位置。これはだらけた気分を示し、正直なところ、実家へ出向くのが「面倒臭い」のでしょう。あまり実家へ行かないというのは、単純に面倒だからといえるようです。もともとおっとりしていて出不精なタイプの女性なのかもしれません。あなたの気遣いが伝わらずに空回りしそうですから、お互いにマイペースで交流するのがよいでしょう。

| 恋愛 | 仕事・学業 | 健康 | 金運・買い物 | **友人・家族** | その他 |

Case 10　中学生の息子が引きこもりです

　中学生の息子が２ヶ月間ほど不登校で、ほとんど自分の部屋にこもっています。部屋ではインターネットやゲームをしているようです。息子はどうなっているのでしょうか。（43才・主婦）

上　表面意識

力

下　潜在意識

太陽（逆）

Answer

　表面意識には、エネルギッシュな「力」の正位置が出ました。これは決して生きる姿勢が投げやりになっているのではなく、「自分の力で何とかしたい」という意欲を持っていることを示しています。もしかしたら「将来こうなりたい」という夢や希望を持っているかもしれません。

　それに反して、潜在意識に出たのは「太陽」の逆位置と、かなりネガティブなカードです。夢や希望を持っていても、心の奥では「どうすればいいのかわからない」という、絶望感を抱えていると読むことができます。意欲が空回りしている状態なのでしょう。どちらも良くも悪くも強いエネルギーを持つカードですので、何かのキッカケさえあれば、立ち直ることができるはずです。

| 恋愛 | 仕事・学業 | 健康 | 金運・買い物 | 友人・家族 | **その他** |

Case 11　子犬が私にだけなつきません

　最近家族で生後4ヶ月の子犬を飼い出しましたが、どうも私にだけなついてくれないような気がします。私があまり家にいないことが原因かもしれません。この子犬は、私のことをどう思っているかわかりますか？
（20才・女性・美容員）

上
表面意識

皇帝

下
潜在意識

星

Answer

　動物にも人間と同じように感情がありますから、ペットの気持ちもタロットで占うことができます。子犬の表面意識は「皇帝」の正位置、潜在意識は「星」の正位置であり、決してあなたを嫌っているわけではないでしょう。特に潜在意識の「星」から、むしろあなたに興味津々で、あなたがどんな人であるのかもっと知りたいと思っているのです。

　ただし気になるのが、表面意識の「皇帝」です。犬は上下関係を重視する動物であるといいますが、もしかしたらこの子犬は、あなたよりも自分の方が上の立場だと思ってしまっているのではないでしょうか。あなたが子犬に気を遣いすぎたり甘やかしたりすることが、自惚れさせている原因かもしれません。

Two Oracle
4 ツーオラクル

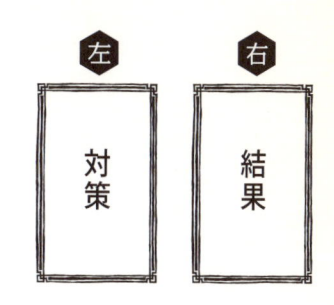

```
   ┌─左─┐  ┌─右─┐
   │    │  │    │
   │ 対 │  │ 結 │
   │ 策 │  │ 果 │
   │    │  │    │
   └────┘  └────┘
```

⭐ 「結果」と「対策」で問題解決！

　上下に並べるツーマインドは、人の気持ちを占う専用のスプレッドでした。では次に、2枚のカードを左右に置くスプレッドを説明しましょう。

　このスプレッドはワンオラクルをバージョンアップさせたもので、「ツーオラクル」といいます。特定の質問に限らず、基本的にどんな物事でも占えます。まず、右に置いたカードを「質問事項の結果」とします。これだけでしたらワンオラクルでも十分ですが、このツーオラクルでは、左に置いたカードを「対策」と設定します。その質問事項に関することを、うまく進めるための対策です。

　タロットのどのスプレッドでも、非常に重要なのは「結果」と「対策」です。せっかく占っても結果に望まないカードが出たら、落胆してしまいますよね。そこで「では、どうすればその悪い結果を回避できるのか？」という情報が必要になってくるのです。結果が良いカードであったら、その対策は「さらに良い状況にするためには、どうすればいいのか」という視点から活用できます。

　「タロット占いの基本（58ページ）」を見て、カードを混ぜてまとめてカットしたあと、そのカードの山の上から7枚目を（右）に置いてください。そして手の残ったカードの山からさらに7枚目（つまり14枚目）を、（左）に置いてください。上下をひっくり返さないように、カードを横からめくってください。これでツーオラクルは完了です。

| 恋愛 | 仕事・学業 | 健康 | 金運・買い物 | 友人・家族 | その他 |

Case 12　人間関係が嫌になり転職を考えています

　２年間勤めてきましたが会社の人間関係に、最近嫌気が差してきています。特にこれといった資格もキャリアも持っていませんが、転職した方がいいかなと思っています。思い切って転職した方が、満足できる結果になりますか？（24才・OL）

左　対策

右　結果

隠者（逆）　　　世界

Answer

> **Point**　カードの意味に縛られることなく
> 自分の直感やイメージも大切に！

　仕事内容に不服はないけれど、職場の人間関係が嫌だから転職したい……という相談も多いものです。

　「もっとスキルアップするために」「自分の夢に近づきたい」というポジティブな動機の転職相談は男性に多く、「人間関係が苦痛だから」というネガティブな動機の転職相談は、女性に多いと感じています。仲間との和を重視する女性にとって、それだけ人間関係は大切なものなのでしょう。

　ツーオラクルで占ってみたところ、（右）の結果には「世界」の正位置を、

（左）の対策には「隠者」の逆位置を得ました。

　結果に対する質問は、「転職した方がいいか」ですね。「世界」は一番良いカードですから、一見「転職すると成功する」と読めると思います。

　しかし私はこの「世界」を見た瞬間に、「これは、今の職場から動けないということだな」と感じました。「世界」のイラストのダンスをしている女性が、あなたでありこの輪から出ることができず、さらに周囲で眺めている四つの動物が職場にいる人達のように見えたからです。

　また「世界」の正位置のイメージフレーズは、「完成された世界」です。完成とは、現状をそうたやすく変えることができないことです。あなたは、今後も転職をしたくてもなかなか動くことができないのでしょう。そして今の会社があなたにとって、ベストな場所なのかもしれません。

　このように、カードが持っている本来の意味だけではなく、カードを開いたときにパッとひらめいた直感や、絵から湧き上がってくるイメージというのも、非常に重要な判断材料になります。

　例えば今回のように、良い意味を持つ「世界」のカードでも、「輪から出られない」というネガティブなイメージが浮んだ場合、カードの意味よりもそのイメージを優先して読んだ方が当たるのです。カードが持つ意味と浮んだイメージがあまりにもかけ離れていたとしても、気にしないでイメージの方を優先してください。

　それを踏まえたうえで、対策の「隠者」の逆位置をみてみましょう。イメージフレーズは「他人を避ける閉ざされた心」で、周囲に心を閉ざしてしまうということ。それが対策ということは、「会社の人達とは、適度に距離を置くと良い」と読み取ることができます。あまり自分のことは話さず、あくまでも会社は仕事をこなす場所と考え、淡々とやるべきことをこなしていくといいでしょう。そうしているうちに、職場の人間関係は次第に落ち着いてくるのではないでしょうか。

| 恋愛 | 仕事・学業 | 健康 | 金運・買い物 | 友人・家族 | **その他** |

Case 13 休日の有意義な過ごし方

　今日はせっかくの祝日で会社はお休みですが、特にこれといった予定がなく、どうやって過ごせばいいのか迷っています。今日の運勢と、有意義に過ごすにはどうすればいいのかを教えてください。
（27才・女性・派遣社員）

左 対策　THE MAGICIAN.　魔術師

右 結果　THE MOON.　月

Answer

　「今日のあなたの運勢」を示す結果のカードには、「月」の正位置が出ました。「今日の運勢（62ページ）」を見ると、「周りの人の気持ちが見えずに、必要以上に心配してしまいがち。」とあります。やや不安定な精神状態の一日ですから、無理して外に出たり多くの人に会ったりするなど、アクティブに過ごすのには適していないようです。
　そして対策には、「魔術師」の正位置が出ました。今日はどう過ごせばいいかというと、「一人で創造的なことにチャレンジしてみるといい」と読み取ることができます。「魔術師」は単独行動を表すカードでもあるからです。例えば手芸や洋裁、デッサンや文章を書くなどクリエイティブなことに挑戦してみると思わぬ発見と楽しみが見つかるでしょう。

| 恋愛 | 仕事・学業 | 健康 | 金運・買い物 | 友人・家族 | その他 |

Case 14 アルバイト先の店長に片想い中

　アルバイト先の店長に片想い中です。仕事中なので、彼の前でなかなかプライベートな話をすることができません。それでも彼は私の気持ちに気がついていますか？　普段、彼にどう接すればいいのかも知りたいです。（19才・女子専門学生）

左 対策　JUSTICE. 正義

右 結果　THE MAGICIAN. 魔術師

Answer

　「彼があなたの気持ちに気がついているか」という質問に対する結果が、「魔術師」の正位置になります。「今日の運勢（62ページ）」では、「魔術師」の正位置は「○」ですから答えは「イエス」。カードに描かれた魔術師の自信に満ちた表情が、「俺に惚れるのは当然だろう」とでも言いたげに見えます。堂々としていて男らしく、他の女性からもモテる人なのかもしれません。
　「どう接すればいいのか」という対策のカードは「正義」の正位置。イメージフレーズは「均衡を保ちつつ安定して進む」ですから、あくまでも仕事関係の人として他の人達と同じように、感情を出さずに合理的に接していくことを勧めています。仕事を通して、少しずつ二人の精神的な距離を縮めていった方がいいのでは。

| 恋愛 | 仕事・学業 | 健康 | 金運・買い物 | 友人・家族 | その他 |

Case 15 好きな人とデートをすることになりました

　勇気を出して自分から誘いの連絡を入れて、好きな人とデートをすることになりました。どんなデートになりますか？　また、僕は彼女にどのように振る舞えばいいですか？（29才・男性・フリーター）

左　対策　力（逆）

右　結果　星（逆）

Answer

　「どんなデートになるか」という質問への結果は、冴えない「星」の逆位置。これはあなたがガッカリするような結果になることを示しています。「星」の逆位置には「雨が降る」という意味もありますから、屋外デートであればなおさら苦戦することになるかもしれません。理想が高すぎることも意味するので、「一気に両想いへ持ち込もう」というような目標も持たない方がいいでしょう。
　「好きになってもらうため」の対策は、「力」の逆位置。これは「強気さや強引さを出さない方がいい」と教えてくれています。放っておくとあなたはデート中に肩に力が入り過ぎてしまうのでしょう。少しくらい弱気な面を出した方が、好感を持たれるはずです。

| 恋愛 | 仕事・学業 | 健康 | 金運・買い物 | 友人・家族 | その他 |

Case 16 友人と大げんかしてしまったのですが

　ほんの些細な意見の食い違いから、長年の友達と大げんかをしてしまいました。それから一週間経ちますが、お互いにいっさい連絡を取り合っていないため、気まずいムードが続いています。自然な形で仲直りできますか？（31才・主婦）

左 対策　　THE FOOL. 愚者　　**右** 結果　　THE LOVERS. 恋人

Answer

　「自然に仲直りできるかどうか」という問いへの回答は、「恋人」の正位置です。恋愛だけではなく、友情面でも良い意味を持つカードですから、自然と仲直りできると判断できます。今後偶然に友達と会って話す機会があったり、相手の方からさり気ないムードで連絡をしてきたり、ということが仲直りのキッカケになるのでしょう。
　そんなあなたの対策として出たのが、「愚者」の正位置。愚者の屈託のない表情を見てもイメージできるように、「何事もなかったかのように、思い切った行動を取ると良い」ということを告げています。このまま流れに乗っていても大丈夫ですが、けんかなど全くなかったかのように、あなたから友達に明るく声をかけてみるといいでしょう。

| 恋愛 | 仕事・学業 | 健康 | 金運・買い物 | 友人・家族 | その他 |

Case 17 新企画のプレゼンが不安です

　仕事の企画案を考えていて、大体頭の中でまとまってきています。ただし今までとはちょっと違うタイプの企画案のため、周囲の反応が心配です。この案は会議で認められて、無事に通るかどうかを教えてください。
（38才・男性・会社員）

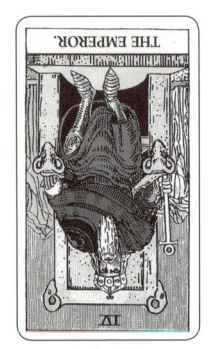

左　対策　皇帝（逆）　　　右　結果　節制（逆）

Answer

　「この案が無事に通るか」という質問への結果には、「節制」の逆位置が出ました。イエスかノーかを「今日の運勢（63ページ）」で確認すると、「△」ですから、答えは「ノー」といえます。ちょっと違うタイプの企画案ということですが、他の人から見ると、あなたの予想に反して「またか」と思わせる、類似例が多い内容なのかもしれません。そのため何となく提示するだけでは、この企画案を会議で通すことは少々難しいといえます。
　ではどうすれば通るのか、という対策のカードは、「皇帝」の逆位置。「強引に押すことでかえって成功する」という助言を得ました。「大丈夫かな……」などとビクビクせずに、プレゼンのときは「これは素晴らしい企画案だ」と信じて、堂々とプッシュしてみてください。

| 恋愛 | 仕事・学業 | 健康 | 金運・買い物 | 友人・家族 | その他 |

Case 18 接客がうまくいかず売上も伸び悩んでいます

　ブランド服の販売業を始めてから、2ヶ月になりました。好きなブランドの服に触れられるのは嬉しいのですが、接客が思うようにできずに売り上げを伸ばせません。今の仕事が自分に合っているのか悩んでいます。
（20才・女性・販売員）

左　対策　　隠者

右　結果　　審判（逆）

Answer

　質問内容は「今の仕事に適性があるか」ですが、その回答は「審判」の逆位置。残念ながら、かなり否定的なカードです。神様がハッキリとあなたに「今の仕事は向いていない」と告げてくれているかのようです。

　ではなぜ適性がないのか……それは対策の「隠者」の正位置から見えてくるでしょう。「隠者」は一人でじっくりと自分を見つめる「内省」のカード。あなたは人前に出て話すよりも、一人でじっくりと頭脳労働できる仕事に向いているようです。この対策の「隠者」は、あなたにそうした内容の職種に就くことを勧めているのでしょう。また、それと同時に「今の仕事がなぜ向いていないのか、行動を振り返って深く考えてみなさい」とも告げているようです。

Case 19　熱があるのですが無理をしても大丈夫？

　朝起きたら体がだるくて発熱をしていて、計ると38度近くありました。会社へ行こうか休もうか迷っています。やりたい仕事もありますが、会社へ行っても悪化することはありませんか？（23才・OL）

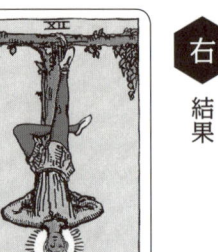

左　対策　女教皇（逆）

右　結果　吊るされた男

Answer

　（右）の結果には「体調がどのくらい悪いのか」を、そして（左）の対策には「会社に行くべきか」として占ってみました。結果の「吊るされた男」の正位置は、かなり体調が思わしくないことを示しています。タロットで病名まではわかりませんが、おそらく日頃の疲れがドッと出て、体が休息を必要としているのではないでしょうか。

　そして対策は「女教皇」の逆位置。正位置であれば、「知的活動をした方がいい」、すなわち「仕事に出た方がいい」と判断できますが、それが逆になっていますから、「仕事に出ない方がいい」と読むことができるのです。だからといって家でジッと過ごすのではなく、病院へは行きましょう。

| 恋愛 | 仕事・学業 | **健康** | 金運・買い物 | 友人・家族 | その他 |

Case 20 ダイエットがうまくいきません

体重が増えてきたのでダイエットを始めました。節食を中心にもう1ヶ月くらい続けていますが、思うように体重が落ちません。あまり食べていないのに、痩せない原因は何なのでしょうか。今の方法が間違っているのでしょうか。(35才・主婦)

左 対策　塔（逆）　　　**右** 結果　魔術師（逆）

Answer

「痩せない原因は？」という問いに対する回答は、「魔術師」の逆位置。イメージフレーズは「パワーの枯渇」ですから、ダイエット方法や意欲に、今一つ勢いがなく中途半端なのではと考えられます。あなたは「あまり食べていない」と思っていても、意外と高カロリーの食品を摂っているのかもしれません。ときには「少しくらいいいや」と、豪勢に外食することもあるのでは。運動もそれほど積極的に行っていないのでしょう。

ダイエットを成功させるための対策は「塔」の逆位置。もっと普段から緊張感を持つことが必要だと、カードが告げています。例えば多くの人に会う機会を増やすなど、生活の中に緊張する場面を取り入れてみてください。

| 恋愛 | 仕事・学業 | 健康 | 金運・買い物 | 友人・家族 | その他 |

Case 21　見つからないアルバムの行方

　どこかにしまい込んでいるはずの昔のアルバムを探しているのですが、なかなか見つかりません。家族が間違えて捨ててしまった可能性も考えられます。アルバムは家の中のどこかにありますか？（43才・女性・自由業）

左 対策　　THE HANGED MAN.（吊るされた男）

右 結果　　THE MAGICIAN.（魔術師）

Answer

　「アルバムは家の中にあるか」という問いへの回答は「魔術師」の正位置で、「今日の運勢（62ページ）」では「○」ですから、答えは「イエス」。家のどこかに昔のアルバムはあるのでしょう。そして（左）の対策には、「どんな場所にあるのか」という問いも入れて占ってみました。対策は「吊るされた男」の正位置。探すのが少々大変な場所にありそうです。例えばハシゴがないと手が届かないような屋根裏や、いろいろな物が積み重なっている押入れの奥の一番底などが考えられます。

　「吊るされた男」の正位置には、苦労や忍耐が必要だけれど、それが良い形になるという意味もありますから、頑張って探してみれば、いずれは大切なアルバムが発見できる可能性が濃厚です。

| 恋愛 | 仕事・学業 | 健康 | 金運・買い物 | 友人・家族 | その他 |

Case 22 高価なアクセサリーを買いたいのですが

　店頭で見つけたルビーのアクセサリーを、買おうか迷っています。派手なデザインで値段もかなり高く、私にとっては分不相応かな……とも考えてしまいます。買ってもちゃんと使いこなせて、後悔することはないでしょうか。（27才・女性・モデル）

左 対策　月

右 結果　恋人（逆）

Answer

　質問内容は「買って使いこなせるか」ですが、それに対する結果は「恋人」の逆位置です。購入すれば数回は使うでしょうが、すぐに飽きてしまいそうです。それでも「恋人」の逆位置はほどほどに楽しいムードを示すので、取りあえず後悔することはないでしょう。保管しているだけでも明るい気分になれるのではないでしょうか。
　そして「買った方がいいかどうか」という対策に出たのは、「月」の正位置。困ったことに、ハッキリしないカードです。今すぐに買ってしまうより、本当に高いお金を出すほど必要なものなのか、そしてどんな場面で使う予定なのか……といったことを時間をかけて考えて、慎重に検討を重ねてみるといいでしょう。

Tarot Column 4

お守りとしてのタロットカード

　神秘の力を持つタロットカードは、お守りやおまじないにも活用することができます。願い事があるあなたは、その願いに合ったタロットをバッグやポケットの中に入れて持ち歩いたり、じっくり眺めて願い事を思い浮かべたりすると、叶う可能性が高まります。各カードがどんな願い事を叶える力を持っているかは、以下の表を確認してください。

愚者	斬新なアイデアが浮ぶ、思い切った行動を起こせる。
魔術師	何かをスタートさせて、それが成功をおさめる。
女教皇	勉強に集中できて、成績が大幅にアップする。
女帝	深い愛情を得られる、裕福な生活を送れる。
皇帝	仕事で出世する、リーダーシップを取れる。
法王	援助してくれる人が現れる、良い助言をもらえる。
恋人	異性とラブラブになれる、楽しい時間を過ごせる。
戦車	勝負に勝てる、勇気を出して前進できる。
力	全力を出して、目標を達成することができる。
隠者	自分の内面を見つめ、本当の気持ちをつかめる。
運命の輪	試験の合格など、チャンスをしっかりつかめる。
正義	的確で合理的な判断を下すことができる。
吊るされた男	つらい状況でも、忍耐を持って乗り越えられる。
死神	嫌なことや苦手なことと、縁が切れる。
節制	心おだやかに、素直な気持ちで過ごせる。
悪魔	霊能力など、オカルト的な力を強められる。
塔	今の状態を、一気に崩すことができる。
星	理想的な夢や目標が見つかる、美しくなれる。
月	占いの能力が高まる、家族との仲が良くなる。
太陽	明るい気分になれる、有名になれる。
審判	一度終わったことが復活して、永遠に続く。
世界	世界平和が実現する、深い幸福感を味わえる。

Triangle
5 トライアングル

★ 三角形で「未来」を占う！

　三角形に並べるところから、この3枚のカードを使うスプレッドは「トライアングル」といいます。三角形の頂点の(1)が「過去」、右下の(2)が「現在」、左下の(3)が「未来」の状況を表しています。一つの問題について、過去から未来への流れを知りたいときに使うと便利です。

　しかし多くの人が、既に終わっている過去や見えている現在よりも、未来を一番知りたいはずです。このスプレッドは対策のカードがなく、未来に関する情報量がそれほど多くありません。ですから質問内容を「イエスかノーか」で答えられるくらいに絞ることが大切です。例えば「恋愛はどうなりますか？」ではなく、「好きな人と付き合えますか？」という、より具体的な内容にしてください。

　また、男女間の問題であれば、「女教皇」や「女帝」など女性を強調したカードは、女性側の状況を示す場合が多くなります。そして「魔術師」や「皇帝」など男性を強調したカードは、男性側の状況を示す場合が多くなります。それも重要な情報となるでしょう。

　「タロット占いの基本（58ページ）」を見て、カードを混ぜてまとめてカットしたあと、そのカードの山の上から7枚目を(1)に置いてください。そして手に残ったカードの山からさらに7枚目（つまり14枚目）を、(2)の位置に置いてください。そして手に残ったカードの山から、さらに上から7枚目（つまり21枚目）を(3)に置きます。上下をひっくり返さないように、カードを横からめくってください。これでトライアングルは完了です。

| 恋愛 | 仕事・学業 | 健康 | 金運・買い物 | 友人・家族 | その他 |

Case 23 同じ職場の異性に片想いしています

契約社員としてスーパーで働いています。週に2回ほど商品の卸しで来る取引先の男性に片想いをしています。ゆっくりと話す機会がなく、思うように好意を伝えられません。この片想いはいつか成就するのでしょうか。
（22才・女性・販売員）

1 過去 — 女教皇（逆）

3 未来 — 法王

2 現在 — 世界

Answer

Point　「イエス」か「ノー」かをハッキリさせるのがポイント！

「片想いが成就するかどうか」はやはり男女ともに永遠のテーマであり、依頼の中でもかなり多い相談内容になります。また簡単そうでいて非常に難しいのが、この「片想いの成就」です。

このトライアングルでは、（3）未来に目をやって一喜一憂しがちです。ただし時間の流れをつかむことが重要ですから、カードを展開した順番通りに、（1）過去、（2）現在、（3）未来と、1枚1枚じっくりと読んでいくことがポイントです。

占ってみたところ、二人の関係の（1）過去のカードに「女教皇」の逆位置が出ました。91ページでも説明しましたが、女性色が強いカードは、女性サイドの状況が表れる場合が多くなります。「女教皇」の逆位置は、心を閉ざして素直な感情を出せずに、冷酷な態度を取りやすかったことを示しています。職場だからということもありますが、あなたは彼の前で「何とも思っていない」という態度を崩さず、あくまでも冷静な態度で接してきたのではないでしょうか。そのため二人の関係は、情の通わないサバサバしたものだったことが読み取れます。

　次に（2）現在のカードを見ると、過去とは対照的な「世界」の正位置が出ています。ここ最近になって、二人のムードが柔らかいものになってきたか、過去からの流れを合わせると、あなたの心理状態が大きく変わってきたのではないでしょうか。「片想いでもかまわない」とかたくなになっていた心に、「両想いになりたい」という希望や意欲が湧いてきたことを示すのかもしれません。

　最後に（3）未来のカードを見ると、穏やかで親切な人物を示す「法王」の正位置が出ています。これは「片想いが成就するか」という質問の回答にもなります。優しい情があふれるカードですから、過去に比べると二人の関係はグッと良くなり、笑顔で会話ができる状態が訪れるでしょう。ただし恋愛としてはどうでしょうか。彼はあなたに「優しくしてあげたい」という父性本能は感じても、残念ながら恋愛感情にまでは進むかどうかは別問題です。

　それでも二人の関係は好転しますから、じっくりと時間をかけてこの恋を進めていくといいでしょう。心を開き合うことができるようになるため、今後はまた違った彼の一面も見えてくるはずです。

| 恋愛 | 仕事・学業 | 健康 | 金運・買い物 | 友人・家族 | その他 |

Case 24 知り合ったばかりの彼との相性は

いいなと思っている男性に告白をしたらOKされて、交際が成立しました。彼とはまだ知り合ったばかりで、お互いに相手の性格をよく知りません。そんな状況の中でも、今後楽しく彼と交際できますか？
(18才・女性・タレント志望)

1 過去 — 力（STRENGTH）

3 未来 — 魔術師（THE MAGICIAN）

2 現在 — 女教皇（THE HIGH PRIESTESS）

Answer

　3枚ともすべて正位置のカードで、大変勢いのある状況がうかがえます。（1）過去の「力」は、自信を持つ女性が描かれていることから、女性からアタックして成功したことがそのままストレートに表れています。物怖じすることなく、堂々とした態度で彼に気持ちを伝えたのでしょう。そして（2）現在を示すカードは「女教皇」の正位置。この女教皇は今のあなた自身で、無表情の女教皇のように決して浮かれているのではなく、「交際が成立したんだな」と、冷静に頭で考えている状態でしょう。ひょっとしたら彼への恋愛感情も、実はそれほど強くはないのかもしれません。
　そして肝心な（3）未来のカードは「魔術師」の正位置。今度は男性のカードですから、今後は彼がしっかりとあなたをリードしてくれるでしょう。まさに「新しいスタート」が切られることも意味していて、希望に満ちた楽しい交際になりそうです。

| 恋愛 | 仕事・学業 | 健康 | 金運・買い物 | 友人・家族 | その他 |

Case 25　別れた恋人が忘れられない

別れた恋人が忘れられません。彼と交際したのは3ヶ月間と短かったのですが、私にとっては理想的な男性でした。音信不通になってから、もう丸1年になります。そんな彼と復縁できる可能性があるか教えてください。
（37才・女性・家事手伝い）

1 過去　恋人（逆）

3 未来　吊るされた男（逆）

2 現在　魔術師

Answer

　復縁も片想いと同様に、非常に実現が難しい問題です。（1）過去の二人を示すカードは「恋人」の逆位置。このカードは「軽薄」と「別れ」の二つの意味がありますが、この場合は質問の通りに「別れ」という意味でしょう。復縁のチャンスもなかなか得られなかったのではないでしょうか。そして（2）現在はポジティブな意味の強い「魔術師」の正位置。これはあなた自身の「頑張って復縁したい」という意志の表れと読めそうです。男性のカードですから、もし彼を表しているとしても、「新しいスタート」という意味があるので、彼は復縁には興味がないはずです。

　（3）未来の「復縁できるかどうか」の回答は「吊るされた男」の逆位置。努力が報われずに空回りして、復縁は難しいと断定できそうです。あなたは彼への執着を捨てて、次の恋に進むべきときなのかもしれません。

Case 26 新しい仕事を任されましたが慣れません

最近会社の部署が異動になり、新しい仕事を任されています。しかし今までの仕事内容とはかなり違い、細かい作業が多くてなかなか慣れることができません。今後その仕事を無事に続けていくことができますか？
（33才・男性・会社員）

1 過去 世界（逆）

3 未来 皇帝

2 現在 隠者

Answer

（1）過去は異動前の仕事状況を示していて、「世界」の逆位置が出ました。これは、前の仕事にはかなり慣れていて全く緊張を感じることなく、ある程度惰性でこなしていた……と読み取ることができます。長く続け、キャリアを積み重ねてきたのでしょう。（2）現在の「隠者」の正位置には「内省」という意味があることからも、手探り状態で地道に仕事に取り組んでいる姿をイメージさせます。無条件に明るいカードではありませんが、今の仕事を投げ出すことなく、創意工夫を凝らしながら頑張っているはずです。

そして（3）未来のカードは「皇帝」の正位置。イメージフレーズは「社会的責任」で、未来は今の仕事で責任ある立場に就き、安定していることが予想されます。ということは、このまま頑張り続けて今の仕事で社会的地位を築いていくということ。ですから安心して前進し続けてください。

| 恋愛 | 仕事・学業 | 健康 | 金運・買い物 | 友人・家族 | その他 |

Case 27 新社会人として職場の人間関係に不安があります

　大学を無事に卒業して、もうすぐ新しい会社に入社します。社会人になることに期待がある反面、大きな不安もあります。特に人間関係が心配です。入社したら職場の人達と仲良くやっていけるでしょうか。
（21才・女子大生）

1 過去 — 世界（THE WORLD）
2 現在 — 正義（JUSTICE）
3 未来 — 審判（JUDGEMENT）

Answer

　この質問の場合、(1) 過去は大学時代の人間関係を示していると判断できます。(1) 過去のカードは「世界」の正位置で、幸福感に包まれている様子がうかがえます。あなたは周囲から見ると魅力があり、良い友達に囲まれていて、人気者だったのではないでしょうか。そして (2) 現在のカードは「正義」の正位置。今のあなたは決して学生気分で浮かれているのではなく、社会人に向かって気持ちを切り替え、落ち着いて進んでいこうと心の準備をしているのでしょう。

　(3) 未来には、良いカードの「審判」の正位置を得ました。まるであなたがこの「審判」に描かれた天使で、地上にいる職場の人達にエネルギーを吹き込んでいるかのように見えます。あなたの魅力や人徳がそうさせるのでしょう。ですから社会人になっても学生の頃と同じように中心人物となり、人気者でいられるはずです。

| 恋愛 | 仕事・学業 | 健康 | 金運・買い物 | 友人・家族 | その他 |

Case 28　友達になりたい人と接するチャンスはありますか

以前から友達になりたいなと思っている人がいますが、相手は周囲からの人気があり、お近づきになるキッカケがなかなかつかめません。その人と今後接するチャンスをつかんで、仲良くなることができますか？
（35才・女性・自営業）

1 過去　月（逆）

2 現在　法王

3 未来　女教皇

Answer

　（1）過去の「月」の逆位置は、悪い意味のカードではありません。ただしイメージフレーズが「解消」のため、二人の関係は悪くはなかったものの、疎遠になりがちだったことを示しているのでしょう。そして（2）現在の二人の関係は「法王」の正位置。ここ最近は、たまに挨拶を交わす程度の交流があるのではないでしょうか。あなただけではなく、相手もあなたに適度な好感を持っていて、二人の間には穏やかな信頼感が流れているようです。相談を持ちかければ、相手があなたに良いアドバイスをくれる可能性も大です。
　（3）未来は「女教皇」の正位置。今後、仕事や用事を通して接する機会はありそうです。いろいろと会話もできるでしょう。ただしイマイチ相手の心の中に踏み込めず、「友達になりたい」という願いが叶うのは難しいようです。共通の話題を増やすことが友達になる鍵になるでしょう。

| 恋愛 | 仕事・学業 | 健康 | 金運・買い物 | 友人・家族 | その他 |

Case 29 苦手な中国語を習うことになったのですが

仕事で急に必要となり、週に2回専門学校に通って中国語を習うことになりました。しかし英会話もほとんどできないほど、語学は苦手な分野です。途中で投げ出さずに、中国語を習得できるかが知りたいです。
（31才・男性・自由業）

1 過去 死神（逆）

2 現在 星（逆）

3 未来 法王

Answer

（1）過去の「死神」の逆位置は、あなたの仕事の状況が予想しなかった形で転換したことを示しています。ただし決してあなたにとって、悪い変化ではないでしょう。（2）現在の「星」の逆位置は、苦手な語学と関わることになり、あなたがナーバスになっている様子がうかがえます。習う前から悲観的になり、意気消沈しているのでしょう。

そして（3）未来のカードは、穏やかな状態を示す「法王」の正位置。布教をしている法王は「先生」を示す場合があり、この中国語学校では親切で良い先生に恵まれそうです。「法王」はゆったりとしたムードのカードですから、少し時間はかかるかもしれませんが、少しずつ着実に力をつけることができるでしょう。先生のアドバイスに従いながら無理なく続けているうちに、「そういえば、かなり習得できているな」と気がつくはずです。

| 恋愛 | 仕事・学業 | 健康 | 金運・買い物 | 友人・家族 | その他 |

Case 30 高校入試が控えていて不安です

もうすぐ高校の入学試験が控えています。受験する高校のレベルは自分に見合っていて、勉強もそれなりに頑張ってきたと自負しています。このまま進むと無事合格できるでしょうか。受験勉強の方法など見直した方がいいですか？
（15才・男子中学生）

1 過去 節制（TEMPERANCE）

2 現在 法王（逆）（THE HIEROPHANT）

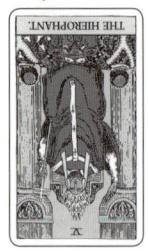

3 未来 魔術師（THE MAGICIAN）

Answer

まず（3）未来のカードを見ると、「魔術師」の正位置。「新しいスタート」という意味がありますので、合格して新たな高校生活がスタートする可能性が高いことを暗示します。（1）過去の「節制」の正位置は、長いこと無理をすることなく、わりとマイペースで勉強に取り組んできたのではないでしょうか。勉強方法も間違っていなかったでしょう。（2）現在のカードは「法王」の逆位置。イメージフレーズは「心の狭さ」いう意味ですが、この場合は偏っているということで、最近特に、集中して受験勉強が進んでいることを示しています。睡眠時間を削っているほどかもしれません。それが功を奏し、未来の「魔術師」につながるのでしょう。

ただし合否の占いは良い結果が出ると安心してしまい、勉強の手を抜いて悪い方向へ変わってしまうおそれがあります。取りあえず結果のことは忘れて、最後まで現在の集中力を失わないようにしてください。

Case 31 趣味のピアノのミニコンサートを開きます

趣味でピアノを習い始めて2年になります。今度ミニコンサートで演奏者の一人として出演し、はじめて大勢の前でピアノを弾くことになりました。失敗することなく、無事に成功してお客さんに喜んでもらえるでしょうか。
(33才・女性・自由業)

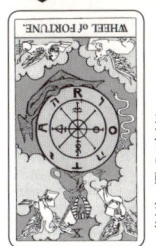

1 過去 運命の輪（逆）
3 未来 悪魔
2 現在 隠者（逆）

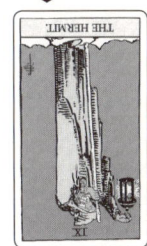

Answer

困ったことに3枚すべて、ネガティブな意味の強いカードが出てしまいました。(1) 過去の「運命の輪」の逆位置は、過去に落ち込む出来事があったことを示しています。ピアノの練習で行き詰まりを感じたり、人前で弾いて失敗したことを気にしたりしているのではないでしょうか。(2) 現在の「隠者」の逆位置は閉鎖的なカードで、大勢の前に出ることに抵抗感を持っていることを感じさせます。過去の失敗が精神面に悪影響を及ぼしていて、かなり慎重になっているのでしょう。

そして (3) 未来、すなわち「演奏が成功するかどうか」という問いには「悪魔」の正位置です。大失敗をするというほどの悪いカードではありませんが、過去から現在の流れを受けて、緊張して自分の力をスムーズに発揮できずに終わってしまうかもしれません。ですがこれに悲観することなく、今からイメージトレーニングをするのがいいでしょう。

| 恋愛 | 仕事・学業 | **健康** | 金運・買い物 | 友人・家族 | その他 |

Case 32 仕事が落ち着いてきたらやる気が起きない

大規模な仕事を無事に完成させて忙しかった状況が落ち着いてきたら、その反動で疲れが出たためか、最近何もする気がしません。もしかしたら鬱病なのではないかと心配しているのですが……。
（48才・男性・自営業）

1 過去 女教皇（逆）

3 未来 太陽（逆）　　**2 現在** 塔（逆）

Answer

（1）過去は「女教皇」の逆位置で、仕事を通して無理な頭脳労働を重ねていたことがうかがえます。リラックスできる時間をほとんど取れないほどの忙しさだったのでしょう。（2）現在の状況は「塔」の逆位置。あなたの精神状態を示していますが、かなり緊迫している状態のようです。気力が出ない自分に対して強いジレンマや衝撃を感じているのかもしれません。また塔が崩れる様子から、今まで築き上げてきたものが壊れていく感覚を持っているとも想定されます。

肝心の（3）未来のカードは「太陽」の逆位置。イメージフレーズは「暗黒の世界」で、まさに鬱病を予感させます。一連の流れを見ると自体はかなり深刻です。ですから無理に頑張ったり、「このままで大丈夫だ」などと楽観視したりするのは禁物です。一度病院に相談されてはどうでしょう。

| 恋愛 | 仕事・学業 | **健康** | 金運・買い物 | 友人・家族 | その他 |

Case 33 時々起こる胃の痛みは自然治癒で治りますか？

最近になってから、時々胃の痛みを感じるようになりました。それほど激しい痛みではないので、自然治癒で済むのであれば、病院へ行くのは避けたいと思っています。この胃痛はそのままでも治りますか？
（42才・男性・SE）

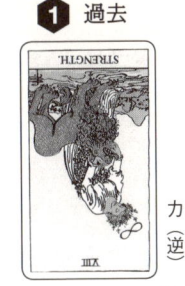

1 過去　力（逆）

3 未来　女教皇

2 現在　隠者（逆）

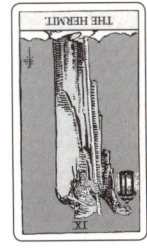

Answer

　胃痛の原因を（1）過去の「力」の逆位置とすると、ハードワークが続くなど大きなプレッシャーからくる精神的ストレスが要因だと読み取れます。また（2）現在のカードは、閉鎖的な「隠者」の逆位置。休日も外に出ないで家にこもっているなど、そのストレスを発散する場面がないのでは。また「隠者」の逆位置は極端に悪いカードではないため、今のあなたの胃の状態は少々疲れている程度で、急いで病院へ行くほど悪化しているわけではなさそうです。

　そして（3）未来のカードは「女教皇」。それほど時間が経たないうちに、仕事のケリがつくなどして胃は普通の状態に戻るでしょう。ただし「女教皇」は健康的なカードではありません。小康状態を保つものの、完治するというわけではなく、また忙しくなると痛んでくる可能性が大です。一度休養を兼ねて病院で検査を受けてみては。

| 恋愛 | 仕事・学業 | 健康 | **金運・買い物** | 友人・家族 | その他 |

Case 34 友人に貸したお金が返ってこない

先日遊んでいるときに、お金が足りないといっていた友達に1万円を貸したのですが、それから数回彼女に会っても返そうとする気配がありません。このまま何も言わなくても、いつか返してもらえますか？
（20才・女子大生）

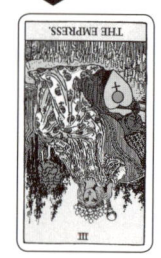

1 過去 恋人

3 未来 女帝（逆）

2 現在 力（逆）

Answer

（1）過去は、お金を貸したときの状況を示します。それが「恋人」の正位置ですから、相手は遊んでいるときの楽しさに金銭感覚がマヒしていて、あまり深く考えることなくお金を借りたと考えられます。そして（2）現在の「力」の逆位置を今の友達の気持ちとすると、友達はあなたからお金を借りたことを覚えていますが、今はお金に困っているのか、あなたにお金を返すことから逃げている感じがします。そ知らぬ振りをして、誤魔化そうとしているのかも。

このままいくと、最終的にお金を返してもらえるかどうかの結果を示す（3）未来には、「女帝」の逆位置が出ました。逆位置に描かれているのは強欲でルーズな女性ですから、何も言わずにそのままでしておくと、残念ながら友達は結局お金を返してくれないでしょう。気まずさが続かないよう、優しく遠回しに催促してみてはいかがでしょうか。

| 恋愛 | 仕事・学業 | 健康 | 金運・買い物 | 友人・家族 | その他 |

Case 35 車を買うために貯金に励んでいるのですが

来年中に、ローンではなく現金で車を買い替えたいと思い、現在貯金に励んでいます。しかし時々大金が飛んでいくこともあり、先が見えません。来年いっぱいに車を買えるほどお金が貯まるかを教えてください。
（34才・男性・自由業）

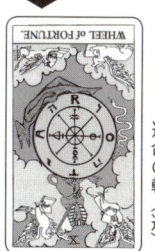

1 過去 皇帝（逆）

3 未来 運命の輪（逆）

2 現在 星

Answer

ちょっとカードを見る順番を変えて、まずは（3）未来、すなわち「来年中にお金が貯まるか」を見てみましょう。カードは「運命の輪」の逆位置で、残念ながら「車を買えるほどお金を貯めるのは難しい」と出ています。その原因は何でしょうか。（2）現在のあなたの状況は「星」の正位置で、新しい車を買うという夢で、心は甘くロマンチックな気分に満たされているようです。しかし「星」は精神性が高いカードですから、ただうっとりしているだけで、具体的な貯金の計画を立てているわけではないでしょう。

そして気になるのは（1）過去の「皇帝」の逆位置です。イメージフレーズは「傲慢」ですから、あなたは自分の貯蓄能力を過信したり、「高級な車でなければ満足できない」と思っていたりしたのではないでしょうか。見栄や贅沢を求める気持ちが、低い夢の実現率を招いているのです。

| 恋愛 | 仕事・学業 | 健康 | 金運・買い物 | 友人・家族 | その他 |

Case 36　ペットにハムスターを飼いたい

今現在一人暮らしをしていますが、部屋に誰もいないのは寂しいので、ハムスターを飼いたいと思っています。でも部屋にいない時間が多いので、ちょっと心配です。今の状態で飼っても大丈夫でしょうか。
（19才・女子専門学生）

1 過去　悪魔
2 現在　隠者（逆）
3 未来　愚者（逆）

Answer

　可愛らしい質問ですが、重いカードが並んでいます。（1）過去の「悪魔」の正位置は、堕落した気分に陥っていたり、深い悩みを抱えていたりしていた姿がうかがえます。（2）現在の「隠者」の逆位置も閉鎖的な気分を表し、人に対して心を開けない状態だといえるでしょう。そのためストレスや孤独を癒すために、ペットを飼おうと思っているのではないでしょうか。確かに今のあなたには、そうした心を温めてくれる存在は必要といえます。

　ただし（3）未来の「飼って大丈夫か」という問いの回答として、不安定な「愚者」の逆位置が出ています。決して飼ってはいけないわけではありませんが、「愚者」の意味である「愚行」を思い出してください。ひょっとしたらあなたはハムスターを飼いたいという気持ちだけで、実際の飼育方法などについては知識がないのではありませんか？　本を読むなどしっかり調べてから飼うようにしてください。

Tarot Column 5

自分以外の人を占うときは

　タロット占いがある程度上達してくると、自分だけはなく周りの人達を占いたくなったりします。ときにはあなたが占いを頼まれたりすることがあるかもしれません。そんなときのために、「人を占ってあげるときの注意点」をお伝えしましょう。
　まずは占う場所ですが、集中力に欠けると的中率が下がりますから、多くの人が行き交う騒がしい場所は避けてください。自分や相手のお家、カラオケボックスや飲食店の個室などが適した場所になります。また関係のない第三者、いわゆるギャラリーがいると、途中で声をかけられたりして集中力が散漫になります。二人で占いに向き合うようにしてください。
　また、占うときに一番気をつけたいのが「言葉遣い」。占いではちょっとキツイことを言われただけでも、心が激しく傷つくものです。悪い結果が出ても「ダメだね」などと言わず、「このまま進むとちょっと冴えない結果だけれど、こうすると変わっていくよ」という感じで、対策を中心に、希望を失わせない言葉を選ぶことが大切です。
　それ以外に占うときに注意したいのは、「同じ質問を何度も占ってはいけない」ということ。悪い結果が出るともう一度占いたくなるものですが、そこはグッと我慢して、はじめの結果を大事にしてください。期間を決めないで占った場合、基本的に結果は約3ヶ月後を示します。ですから同じ質問を占いたいときは3ヶ月ほど経ってからか、または状況が大きく変わったときに占うようにしましょう。
　また、同じ人から「また占って」といろいろな質問を何度もお願いされることがあるかもしれません。こうなってしまうと、相手は占いに依存している状態ですので注意が必要です。「この前占ったばかりだから」と説明して、キチンと断る姿勢を持つことも大切です。

Hexagram
6 ヘキサグラム

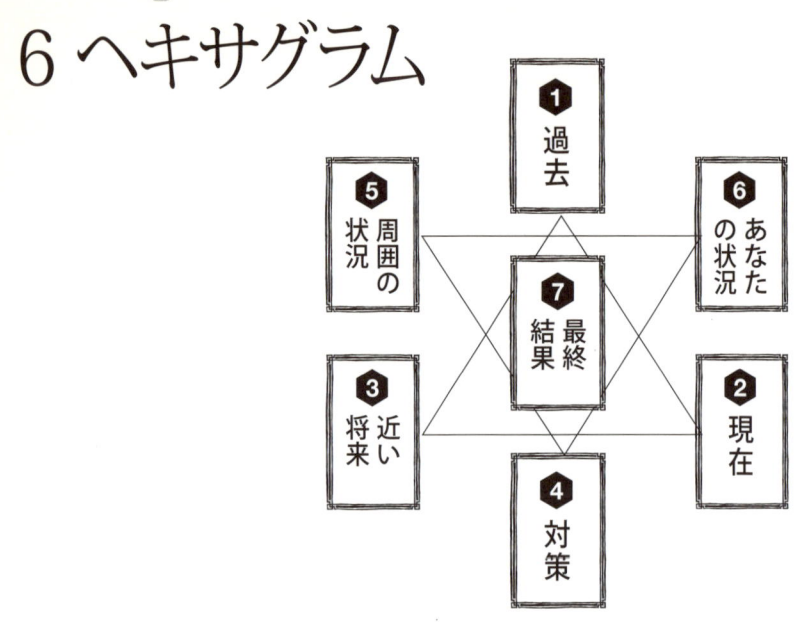

① 過去
⑤ 周囲の状況
⑥ あなたの状況
⑦ 最終結果
③ 近い将来
② 現在
④ 対策

⬟ これをマスターすればあなたもプロになれる！？

「ヘキサグラム」というのは、上向きの正三角形と下向きの正三角形を重ね合わせた六芒星のことをいいます。タロットカードの「隠者」のランプの中に入っている光の形です。その形にカードを展開するため、この名前がつけられています。

ヘキサグラムは大変使いやすくて便利なスプレッドなので、プロの占い師の多くが使っています。おそらくすべてのスプレッドの中で一番使われているのではないでしょうか。

前に紹介したトライアングルは「過去」「現在」「未来」の3枚でしたが、ヘキサグラムではさらに4枚のカードを追加して、より多くの情報が把握できるようになっています。特に恋愛問題では、自分の状態と相手の状態

を比べられるため、現在の恋愛状況を把握しやすくなっています。そして未来のカードも1枚だけではなく、「近い将来」と「最終結果」という2枚を順を追って読み取ることができますし、一番重要な「対策」のカードもしっかりと存在します。ですからヘキサグラムで、問題に関する知りたいことのほとんどの情報を得られるでしょう。

ヘキサグラムを読む順番は、(3) 近い将来→(7) 最終結果→(1) 過去、(2) 現在、(5) 周囲の状況、(6) あなたの状況すべての中からその結果の原因がどこにあるのか→(4) 対策という順番が、わかりやすくてベストです。

ただし、使用枚数は全部で7枚と、はじめての人にとってはかなり多く、すべてのカードを丁寧に読むのは大変です。ですから意味がわからないカードやそれほど重要ではないカードは、読み飛ばしてもいいでしょう。例えば「過去」や「現在」は、それほど重要ではない場合もありますよね。

「タロット占いの基本(58ページ)」を見て、カードを混ぜてまとめてカットしたあと、そのカードの山の上から7枚目を(1)に置いてください。そして手に残ったカードの山から次のカードである8枚目を(2)、9枚目を(3)と置き、さらに手に残ったカードの山の上から7枚目(つまり16枚目)のカードを(4)に置き、続けて次のカードである17枚目を(5)、18枚目を(6)、19枚目を(7)と置きます。上下をひっくり返さないように、カードを横からめくってください。これでヘキサグラムは完了です。

それぞれの位置が持つ意味は、(1) 過去、(2) 現在、(3) 近い将来、(4) 対策、(5) 周囲の状況(相手の状況や気持ち)、(6) あなたの状況(あなたの気持ち)、(7) 最終結果になります。

枚数が多くて不安に思われる方も多いかもしれませんが、これまで1枚、2枚、3枚とステップアップを踏んできたあなたなら大丈夫。是非、ヘキサグラムをマスターしてタロット占いの醍醐味を味わってください。

| 恋愛 | 仕事・学業 | 健康 | 金運・買い物 | 友人・家族 | その他 |

Case 37　片想いの彼への告白

　もうすぐバレンタインデーで、半年間くらい片想いをしている1学年上の先輩に、チョコレートを手渡して告白する予定です。彼とはほとんど話したことがなく、私のこともよく知らないと思います。結果はどうなりますか？（16才・女子高生）

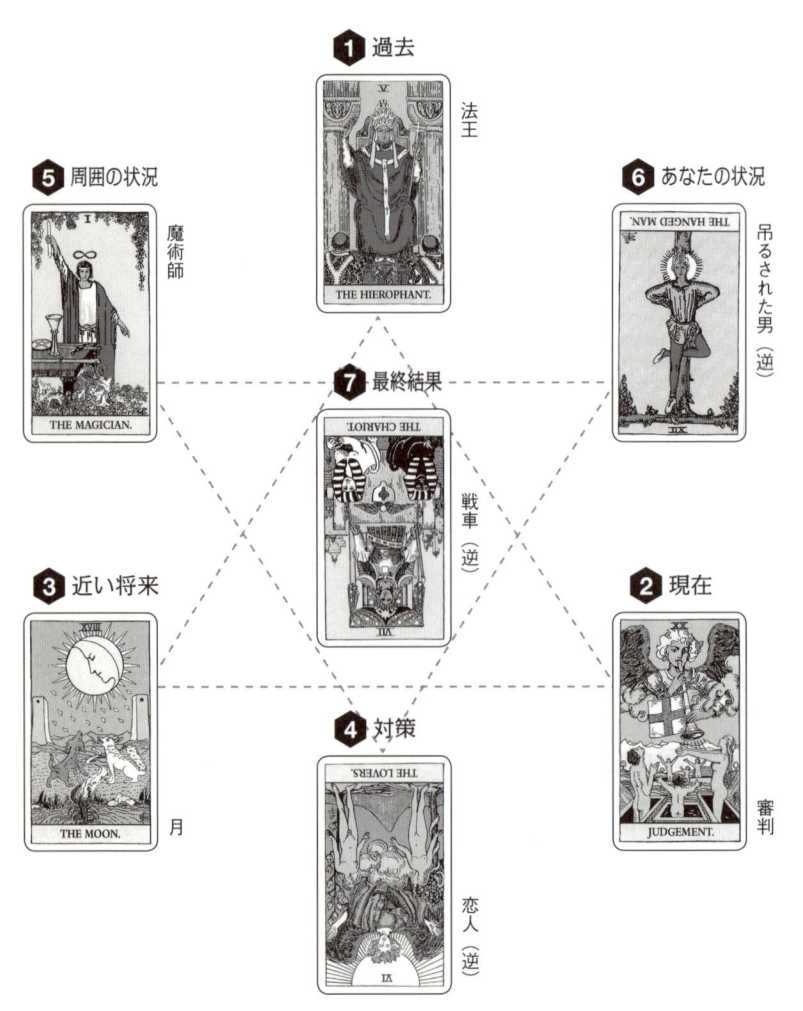

① 過去　法王

⑤ 周囲の状況　魔術師

⑥ あなたの状況　吊るされた男（逆）

⑦ 最終結果　戦車（逆）

③ 近い将来　月

② 現在　審判

④ 対策　恋人（逆）

Answer

　（3）近い将来は「月」の正位置、（7）最終結果は「戦車」の逆位置と、残念ながら冴えない結果が得られました。（1）過去の「法王」は二人の関係がおだやかで温かいムードだったことを示し、（2）現在の「審判」の正位置は、ラッパを吹く天使のように「気持ちを伝えよう」というあなたの固い決心を表しています。（6）あなたの気持ちは「吊るされた男」の逆位置で、緊張しすぎて当日に動けなくなる可能性も否定できませんが、固い意志が功を奏して、バレンタインデー当日は告白できると判断していいでしょう。

　しかし「月」はハッキリとした返事を得られずに、告白後に不安な気持ちを抱えて待つことを暗示し、「戦車」の逆位置は、戦車を引く二つの力が別々の道を行くように、結果的に二人の歩調が合わずに分離してしまうことを示しています。残念ながらせっかく告白をしても、彼と両想いになることは難しいのでは。

　それでは、その原因はどこにあるのでしょうか。（5）相手の気持ちのカードは、自信にあふれる「魔術師」の正位置。告白をしたら、彼は素直に喜んでくれて、明るい笑顔をあなたに見せてくれるでしょう。ただし彼はモテるタイプなのではないでしょうか。そして恋愛は自分からアタックする、「追われるより追うタイプ」と見受けられます。またちょっと自分勝手なところがあり、告白をされても相手に気を遣ってまで返事をしようとは思わないのでしょう。そのため返事が来ない可能性が高まってしまうのです。

　（4）対策のカードは、「恋人」の逆位置。イメージフレーズは「軽いムード」です。真剣に告白をすると、彼は重さを感じてしまいます。このカードはあなたに「深刻に恋愛感情を見せずに、フレンドリーにチョコレートを渡すと良い」と告げてくれています。

　このまま告白をしないでいれば、彼があなたを強く意識することはありませんが、告白することによって喜んでもらえます。ですからせっかく出した勇気をしぼませず、明るくアタックしてみてください。

| 恋愛 | 仕事・学業 | 健康 | 金運・買い物 | 友人・家族 | その他 |

Case 38　遠距離恋愛の恋人との結婚

　恋人が転勤して遠距離恋愛になってしまってから、半年が過ぎました。遠距離になる前は結婚の話も出ていたのですが、最近は会うのもやっとで、結婚話が出にくいムードです。彼と結婚することは可能でしょうか。
（29才・女性・販売員）

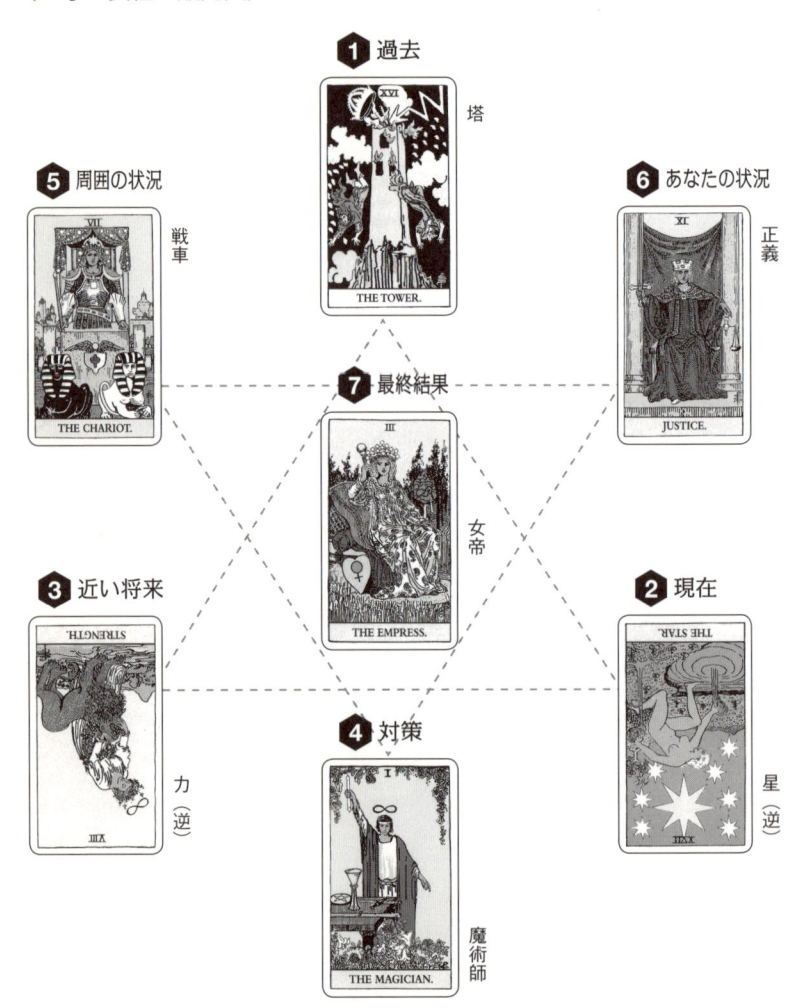

❶ 過去　塔

❺ 周囲の状況　戦車

❻ あなたの状況　正義

❼ 最終結果　女帝

❸ 近い将来　力（逆）

❷ 現在　星（逆）

❹ 対策　魔術師

112　Ⅱ タロットカード占い 【ヘキサグラム】

Answer

　(1) 過去の「塔」の正位置、(2) 現在の「星」の逆位置という流れから、遠距離恋愛になったことが、あなたにとってかなり衝撃的なつらい出来事であったことがうかがえます。

　(3) 近い将来は「力」の逆位置ですが、(7) 最終結果には「女帝」の正位置という、相反したカードが並んでいます。「女帝」の正位置はまさに結婚を表しますから、結論からいってしまえば、彼と最終的に結婚できる可能性は十分高いと断言できます。しかし「力」の逆位置から、今から時間が経って遠距離恋愛が長くなると、結婚の話を出しにくいムードが強まってしまうことが予想されます。それでも何とかそうした状態を乗り越えて、「女帝」の正位置が示す結婚にたどり着くことができるのでしょう。

　それでは、将来的に彼と結婚できる要因がどこにあるのかを探ってみましょう。(5) 相手の気持ちには、勢いのある「戦車」の正位置が出ています。あなたが思っている以上に、彼はあなたとの結婚を前向きに考えているのではないでしょうか。ただし新天地での仕事が忙しいなど、まだ状況が落ち着いていないために、話を出せないのかもしれません。

　そして、(6) あなたの気持ちや状況を示すカードは、冷静さを感じさせる「正義」の正位置。感情を出さずに状況のバランスを取っている女性の姿が描かれたカードです。あなたは彼と結婚したいと思いつつも、その気持ちを表に出していないと読めます。彼に気を遣いすぎていたり、結婚に関して待ちの姿勢になっていたりすると感じられます。

　(4) 対策のカードは能動的な「魔術師」の正位置。カードはあなたに「自分から結婚に向かって、積極的に動くといい」と告げています。現在、結婚の話が進みにくい原因は、どうやら「あなたが遠慮をしているから」のようです。彼の方も実は内心では、あなたが前向きになってくれるのを待っているのかもしれません。

Case 39 失恋をして次の恋にいけない

3年間交際していた人に、2ヶ月前に振られてしまいました。失恋の痛手から立ち直れずに、次の恋をすることに恐れを感じています。今後恋愛はできますか？ また、私はどうすればいいのか教えてください。
(31才・OL)

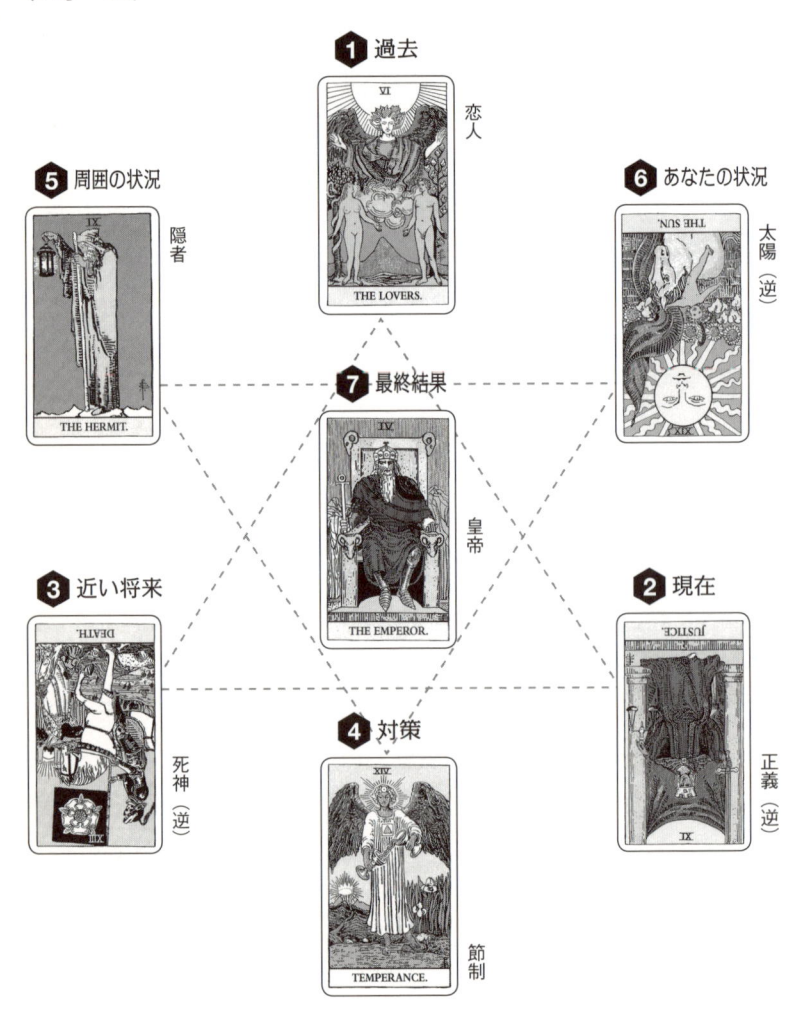

1 過去 — 恋人 THE LOVERS.
5 周囲の状況 — 隠者 THE HERMIT.
6 あなたの状況 — 太陽（逆）THE SUN
7 最終結果 — 皇帝 THE EMPEROR.
3 近い将来 — 死神（逆）DEATH.
2 現在 — 正義（逆）JUSTICE.
4 対策 — 節制 TEMPERANCE.

II タロットカード占い 【ヘキサグラム】

Answer

　（3）近い将来には「死神」の逆位置、そして（7）の最終結果には「皇帝」の正位置が出ています。「皇帝」の正位置は、この場合「恋愛を忘れて仕事に精を出すようになる」とも読み取れますが、次の恋愛ができるかどうかの質問ですから、「頼り甲斐のある男性が現れる」と読んだ方がしっくりきます。そして（3）近い将来の「死神」の逆位置のイメージフレーズは「新しいスタート」。近いうちに、あなたの環境が大きく変化することが予想されます。それはかなり大きな変化で、転職や引越しが考えられるでしょう。そんな生まれ変わった環境の中で、職場で知り合った頼り甲斐のある男性から堂々とアプローチをされる……ということがあるかもしれません。

　（1）過去の「恋人」の正位置は、彼との幸せな日々を回想していることを暗示し、（2）現在の「正義」の逆位置は、次の恋愛に無関心ではないものの、まだ過去の恋を引きずっていて、そちらに天秤のバランスを取られているあなたの心理を感じさせます。そして（6）あなたの気持ちの「太陽」の逆位置からは、かなりナーバスになり、休日でも暗い部屋にこもって過ごしているのではないでしょうか。

　（5）はこの場合、別れた彼の気持ちを知りたいわけではないため、「相手の気持ち」ではなく「周囲の状況」と設定しました。それには「隠者」の正位置が出ており、周りにあなたのことを気にしている男性が他にもいそうですが、暗く心を閉ざしているあなたに近づきにくいと思っているようです。

　（4）対策には、「節制」の正位置が出ています。自然の流れに乗ると良いというカードですから、今は無理に恋愛をしようとせず、心の傷を癒すことに専念するといいでしょう。外に出かけたり、趣味を楽しんだりしてみてください。睡眠時間を多く取ることも、心を癒すのにオススメです。

　あなたには、心の傷が癒えて状況が変わったときに、誠実で結婚にまで進むような大恋愛が用意されています。ですから焦らず、希望を持って過ごすといいでしょう。

Case 40 大企業との商談が難航

　大企業の取引先と交渉中で、数回商談を重ねています。これが決まるとかなりの額が動いて自社に多大な利益をもたらすので、何としてでも決めたいと思っています。この交渉は成立するのでしょうか。
(36才・男性・会社員)

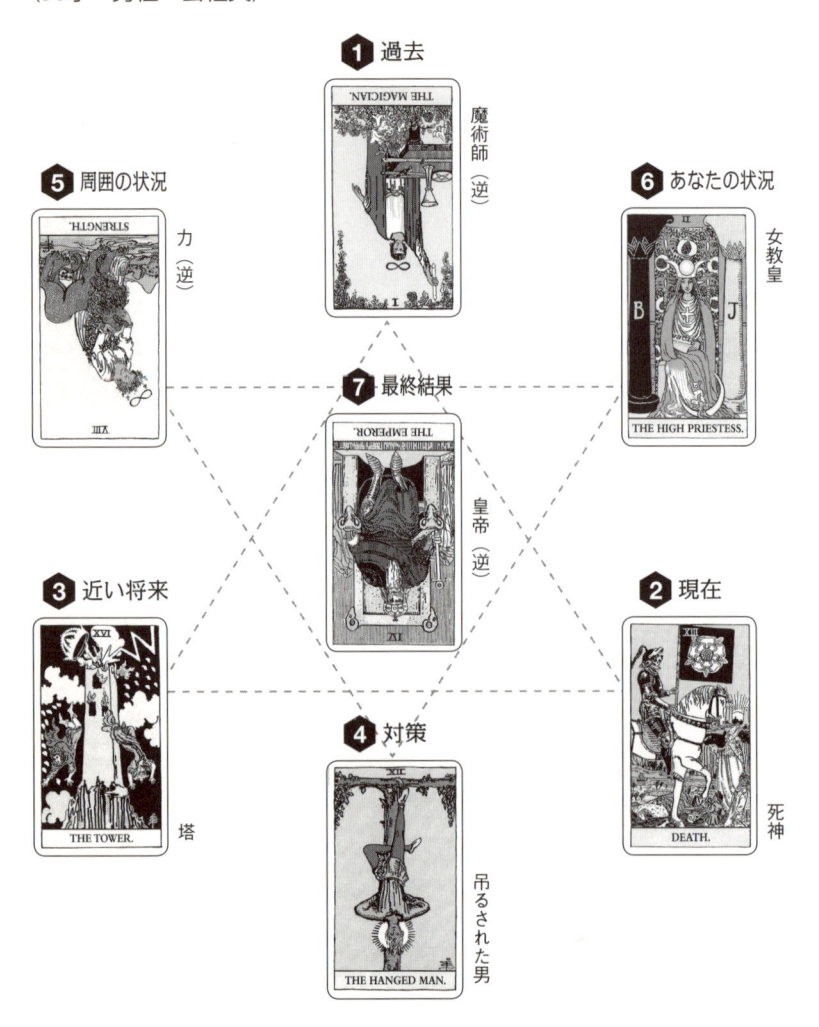

1 過去　魔術師（逆）

5 周囲の状況　力（逆）

6 あなたの状況　女教皇

7 最終結果　皇帝（逆）

3 近い将来　塔

2 現在　死神

4 対策　吊るされた男

Answer

　（1）過去の「魔術師」の逆位置からは、これまでの商談ではそれほど勢いがなかったことを、そして（2）現在の「死神」の正位置は、この商談が先へ進まずストップしていることが読み取れます。

　（3）近い将来に「塔」の正位置、（7）最終結果に「皇帝」の逆位置が出ており、今後の流れを見てみても、困ったことにこの話は一筋縄では進んでいかないことを暗示しています。「塔」はせっかく積み上げていた物事が衝撃を受けて、一気に崩れる様子を示しています。そして「皇帝」の逆位置のイメージフレーズは「傲慢」であり、特に大企業が相手ですから、足元を見られて無理要求を突きつけられたり、こちらにとって不利な条件を出されたりして、結果的には諦めざるを得ない……ということになる気配が濃厚です。

　しかし（5）相手の状況には、「力」の逆位置が出ています。相手は決してあなたやあなたの会社を見下して商談を止めているのではなく、社内でトラブルが起きているなど、何かゴタゴタしているのでしょう。ですから先方には先方なりの、話を先に進めることができない理由が何かあるはずです。

　あなたへの（4）対策は、「吊るされた男」の正位置。この商談は、すべてが相手側の都合に振り回される形なので、あなたの方はただジッと、相手が動いてくるのを忍耐強く待っているしかありません。（6）あなたの状況に冷静で思慮深い「女教皇」の正位置が出ていることからも、そうするしかないことは、あなたもよく心得ていることがわかります。

　ただし「皇帝」の逆位置は、それほどハッキリとした「ノー」を示すカードではありません。ですから何だかんだとかわされたり、誤魔化されたりしながらも、最終的な結論が出るまでに、かなり待たされてしまうのではないでしょうか。

| 恋愛 | 仕事・学業 | 健康 | 金運・買い物 | 友人・家族 | その他 |

Case 41　お笑い芸人になりたいという将来の夢

　まだ学生ですが、将来はお笑い芸人として成功して、有名になりたいと思っています。周りにもいつもその夢を語っていて、かなり本気です。その夢は実現しますか？　また、実現させるためには何をすればいいですか。
（19才・男子大学生）

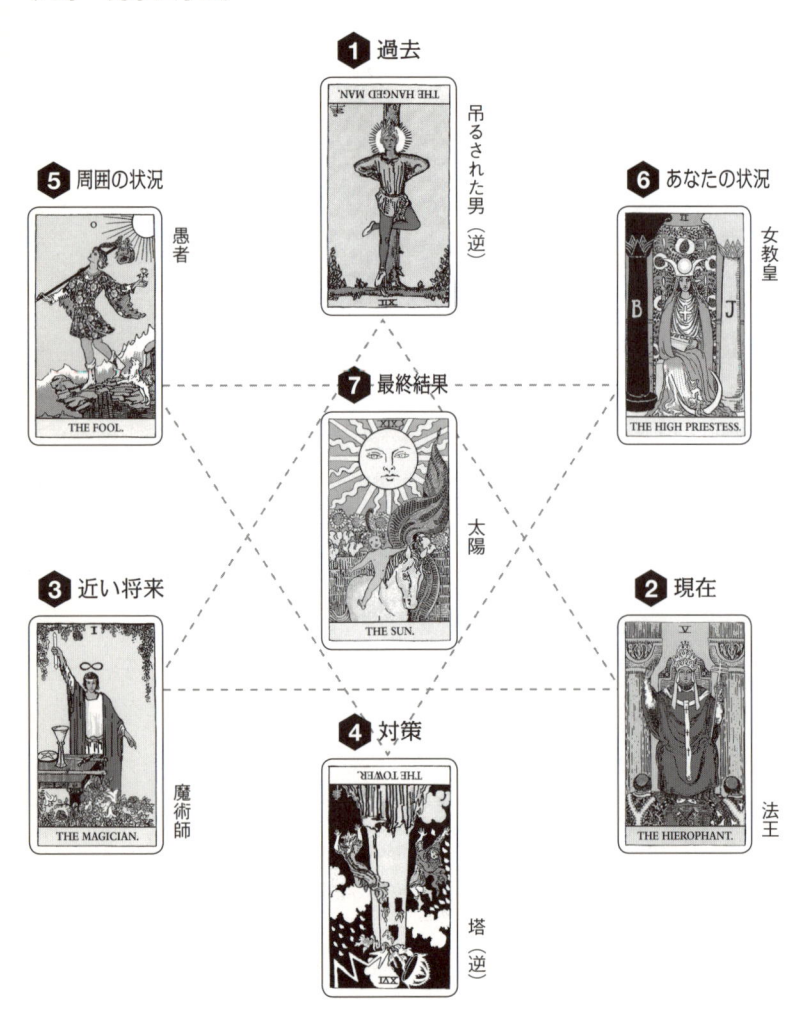

1 過去　吊るされた男（逆）

5 周囲の状況　愚者

6 あなたの状況　女教皇

7 最終結果　太陽

3 近い将来　魔術師

2 現在　法王

4 対策　塔（逆）

118　Ⅱ　タロットカード占い　【ヘキサグラム】

Answer

　ポジティブなカードの正位置が多く、あなたの真剣さがスプレッド全体ににじみ出ています。

　今後の流れを見ると、(3) 近い将来のカードは「魔術師」の正位置、(7) 最終結果のカードは「太陽」の正位置と、明るいカードが並んでいます。あなたは近いうちに、自分の宣言通りに自分一人の力でアクションを起こしてお笑い芸人への道を歩み始め、最終的にはあなた自身が満足できる明るい状況が訪れる……つまり成功して有名になれる可能性が高い、といっていいでしょう。

　(1) 過去の「吊るされた男」の逆位置は、あなたがこの道を選ぶ決意をしたキッカケが、自分自身の苦しい思いをした体験から来ていると読み取れます。そして (2) 現在に「法王」の正位置が出ているのは、近くにこの夢に関して相談できる人がいたり、周囲の理解を得られていたりして、障害がほとんどないことを暗示します。

　ただし (5) 周囲の状況を見ると、「愚者」の正位置。周りの人達はあなたの夢の話を微笑ましく思いながらも、「ただ無邪気になって、夢を語っているだけなんだろう」と、あまり本気ではないととらえている人が多いようです。今の段階では、あなたの真剣さが今一つ周りに伝わっていないのでしょう。

　あなたへの (4) 対策の「塔」の逆位置は、緊張する場面を作ること、すなわち「もうその世界に飛び込んでいった方がいい」ということを告げています。(6) あなたの状況には「女教皇」の正位置が出ており、まだ頭の中で考えたり学んだりしているだけで、大胆な行動は起こしていないのでしょう。まだ学生であっても、今からオーディションを受けるなどしてみてはいかがでしょうか。また、やはり「塔」の逆位置から、トークだけではなく体を使うような目立つ芸を考えることも、プラスになりそうです。

| 恋愛 | 仕事・学業 | 健康 | 金運・買い物 | 友人・家族 | その他 |

Case 42　両親が離婚しても大学進学はできますか

　私は高校生ですが、現在は父と母が離婚協議中です。私には大学院まで進み、臨床心理士になるという夢があります。両親が離婚したあとの経済面が心配です。私は無事に大学に進学することはできますか？
（17才・女子高生）

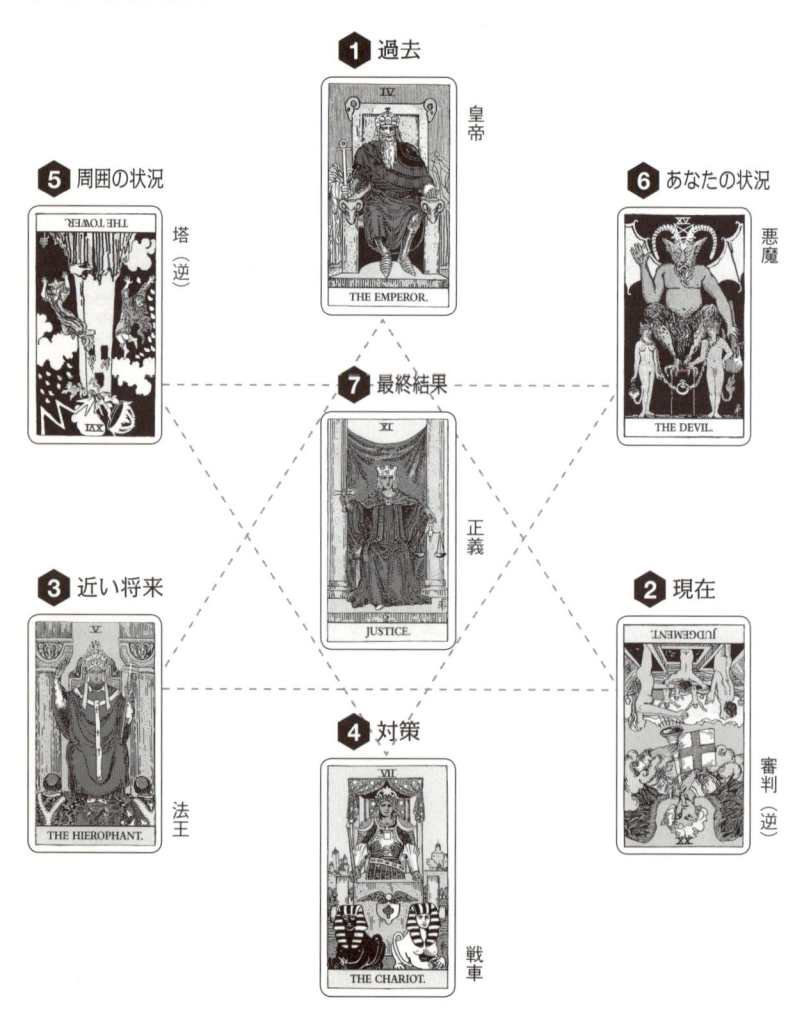

1 過去 — 皇帝（THE EMPEROR）
2 現在 — 審判（逆）（JUDGEMENT）
3 近い将来 — 法王（THE HIEROPHANT）
4 対策 — 戦車（THE CHARIOT）
5 周囲の状況 — 塔（逆）（THE TOWER）
6 あなたの状況 — 悪魔（THE DEVIL）
7 最終結果 — 正義（JUSTICE）

Answer

　この質問の場合は、(5) 周囲の状況は、両親の状況を示します。それが「塔」の逆位置ですから、今の両親の精神的なストレスやダメージはかなりのものなのでしょう。そして現在は協議中ということですが、残念ながらいずれ離婚が成立する可能性は高いといえます。そして (6) あなたの気持ちに出ている「悪魔」の正位置は、あなた自身が両親のトラブルに巻き込まれて、束縛され、大きな精神的圧力や強い不安を抱え、他の物事が何も手につかないような状態であることがうかがえます。(2) 現在の「審判」の逆位置は、大学進学について望みを持てない状況を示しています。

　ただし今後の流れを見てみると、その不安に反して、かなり穏やかなムードになっています。(3) 近い将来には「法王」の正位置、そして (7) 最終結果に出ているのは、冷静さのある「正義」の正位置。ですからあなたが心配するほど、状況は悪化してはいかないといえるでしょう。

　(3) 近い将来の「法王」の正位置は、誰かがあなたを援助してくれるということ。では、その援助してくれる人物とは、誰でしょうか？　(1) 過去に「皇帝」の正位置が出ていますが、この人物が過去から引き続き、将来もあなたの経済を支えてくれると考えられます。おそらくその人物とは父親です。あなたの父親はいつもあなたの将来を心配していて、あなたを応援してくれているのではないでしょうか。ですからたとえ両親が離婚したとしても、あなたの学費の面倒はしっかりと見てくれるはずです。それを踏まえると、(7) 最終結果の「正義」は、あなたが精神的に不安を感じることなく、落ち着いて大学で勉強に励むことができる、ということを告げていると読めるでしょう。

　そんな中、あなたへの (4) 対策には「戦車」の正位置が出ています。これは「安心して未来のことを考え、受験勉強に取り組むといい」というアドバイスになります。大学進学の資金に関しては全く心配ないようですから、あとはあなたの成績次第ということになるのです。

| 恋愛 | 仕事・学業 | 健康 | 金運・買い物 | 友人・家族 | その他 |

Case 43　音楽家の夢を捨てることができません

　両親は将来、自分が家業を継ぐことを期待しています。しかし昔から漠然と持ち続けている音楽家になるという夢を捨て切れず、このまま家業を継ぐと一生後悔しそうです。どちらを選ぶのがいいか、教えてください。
（23才・男子専門学生）

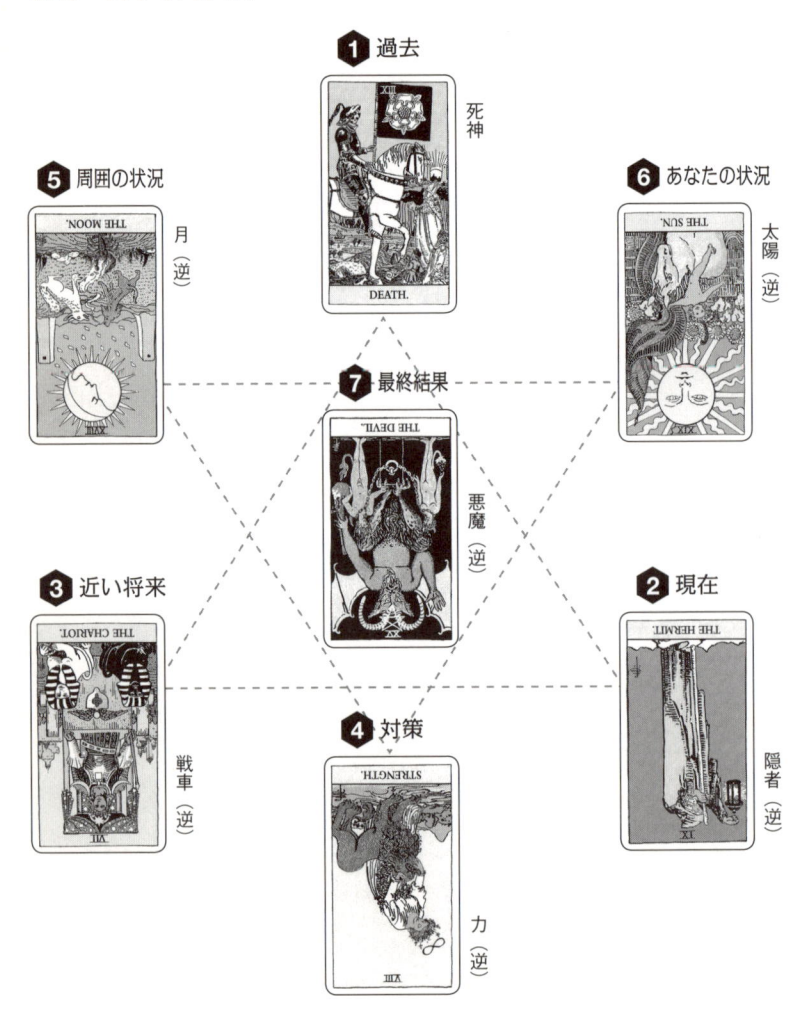

① 過去 — 死神

⑤ 周囲の状況 — 月（逆）

⑥ あなたの状況 — 太陽（逆）

⑦ 最終結果 — 悪魔（逆）

③ 近い将来 — 戦車（逆）

② 現在 — 隠者（逆）

④ 対策 — 力（逆）

Answer

　質問内容が「どちらがいいか」という二者択一の問題なので、どちらかに絞ってワンオラクルやトライアングルで占うこともできますが、ヘキサグラムで「音楽家を目指すとどうなるか」という質問設定にして、詳細に占ってみました。
　(1) 過去に停止状態を示す「死神」の正位置、(2) 現在に心を閉ざして活動を起こせない「隠者」の逆位置と出ているため、迷いなどが原因で、今はまだ音楽家になるための計画や準備がほとんどできていないのではないでしょうか。そして (6) あなたの気持ちに「太陽」の逆位置が出ており、音楽家の道をもし選んで進んでいったとしても、家業のことが気になるか、もしくは音楽業が合わないと実感するなど、「この道を選ばなければ良かった」と後悔してしまうことになりそうです。
　音楽家を選んだ場合の、今後の流れを見てみると、(3) 近い将来には「戦車」の逆位置、(7) 最終結果には「悪魔」の逆位置が出ています。「悪魔」の逆位置は決して悪い意味を持つカードではありませんが、この場合は「執着を手放す」、つまり「音楽家から身を引く」という結果になることを暗示していますから、残念ながら好ましい結果であるとはいえないでしょう。
　あなたは両親の期待を裏切ることを心配しているようですが、実際にはどうでしょうか。(5) 周りの状況は、両親のあなたが音楽家の道へ進むことに対する気持ちを示しています。それがスッキリとした気持ちや状況を表す「月」の逆位置。「あなたが頑張るのであれば、それはそれで応援しよう」という温かい気持ちを抱えているようです。しかし (4) 対策のカードは頑張ることを否定する「力」の逆位置で、すべてを考え合わせてみても、「音楽家の道へ進むのはやめた方がいい」とあなたに伝えているでしょう。
　ただし「両親が認めてくれる」という点で、決して音楽の道へ進むことに、あなたが罪悪感を持つ必要はありません。気が済むまで頑張ってみても、問題はないのです。

| 恋愛 | 仕事・学業 | **健康** | 金運・買い物 | 友人・家族 | その他 |

Case 44 精神的な偏頭痛に悩まされています

　ここ最近から時々発生する激しい偏頭痛に悩まされるようになり、病院へ行ったところ、過度な精神的ストレスが原因だと診断されました。現在、通院と薬で治療中ですが、どうも治っている気がしません。(42才・男性)

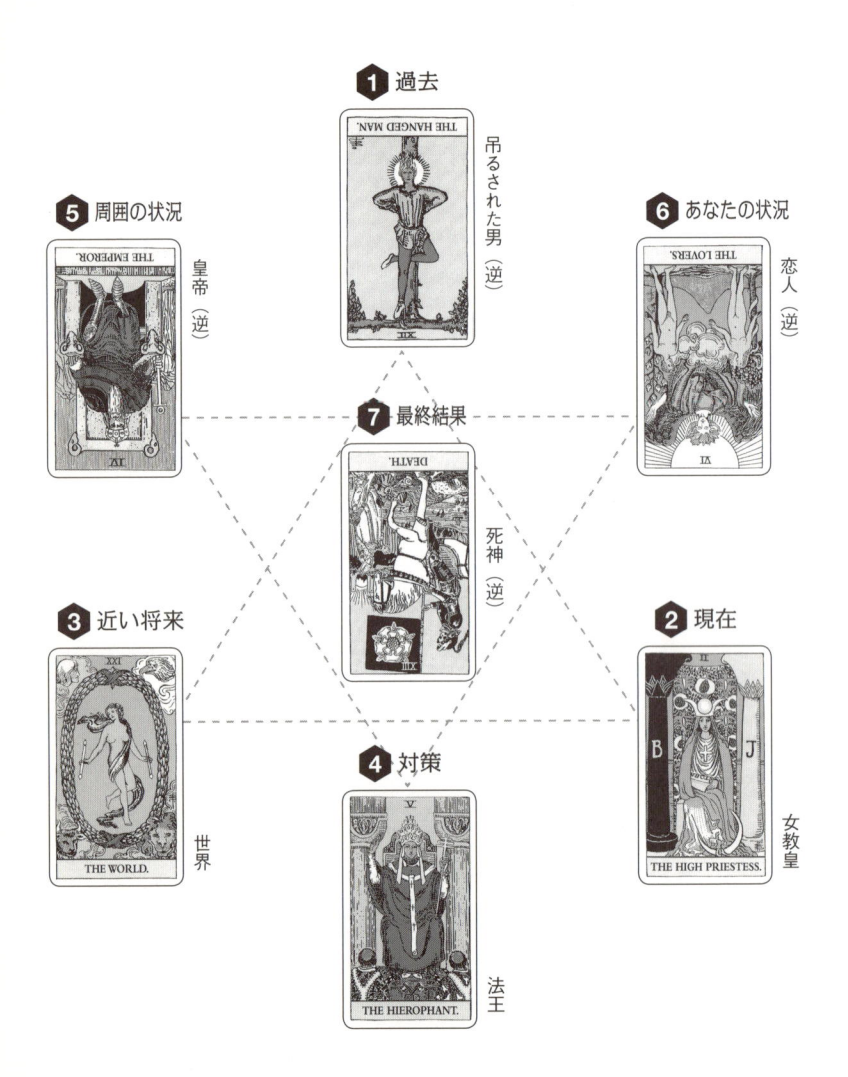

1 過去 — 吊るされた男（逆）

5 周囲の状況 — 皇帝（逆）

6 あなたの状況 — 恋人（逆）

7 最終結果 — 死神（逆）

3 近い将来 — 世界

2 現在 — 女教皇

4 対策 — 法王

124　II　タロットカード占い　【ヘキサグラム】

Answer

　偏頭痛が発生し始めた原因を探してみると、（1）過去の「吊るされた男」の逆位置、（2）現在の「女教皇」の正位置を合わせたところから、あなたの生真面目で細かいところを気にする完璧主義な性格から来ているのではないかと考えられます。もしくは「吊るされた男」の逆位置から、過去にオーバーワークが続いたなど、極度なストレスを溜め込む場面があったからかもしれません。

　（6）あなたの状態には、「恋人」の逆位置が出ています。軽いノリのカードですから、今現在はそれほど無理をすることなく、適度に肩の力を抜いて毎日を過ごしているのではないでしょうか。偏頭痛に陥った原因がストレスや几帳面な性格であったことからも、そうしたリラックスできる生活は、今のあなたにとって大事なものだといえるでしょう。それでも（5）周囲の状況は「皇帝」の逆位置で、あなたの偏頭痛に理解を示すことができない、厳しいタイプの人が近くにいるのかもしれません。

　この病気の今後の展開を見てみると、（3）近い将来には「世界」の正位置が出て、（7）最終結果には「死神」の逆位置が出ました。「世界」は精神的に満たされた完成された世界を示し、良い状況が訪れることを示します。そして「死神」の逆位置は、状況が180度転換する、ということ。この2枚を合わせてみると、それほど遠くはない未来に、この偏頭痛は完治すると読み取ることができます。少し時間が経てば、「そういえば、そんな頭痛で苦しんでいたこともあったけ……」と懐かしく思えるくらいに、完全に回復すると期待していていいでしょう。

　（4）対策のカードは「法王」の正位置。ここに描かれている法王は、良きアドバイザーという意味で、お医者さんのことを示しています。医師を信頼して指示に従っていれば、自然に治っていくでしょう。薬の量なども含めて、しっかりと言われたことを守ってください。

Tarot Column 6

プロの現場

　私自身は、プロの占い師としていろいろな場所、場面でたくさんのタロット鑑定をしてきました。その中で一番集中力を使い、一番ハードだと感じるのは、電話での鑑定です。電話鑑定会社を通して自宅にお客様からの鑑定の電話がかかってくるのですが、忙しいときは一人の鑑定が終わったら、またすぐに次の電話が入ってきて、休む暇が全くありません。長い時間、次々といろいろな人をタロットカードで占っていると、徐々に集中力が途切れてきて、意識がもうろうとしてきてしまいます。

　そんなときにタロットカードで占うと、ほぼ毎回ヘキサグラムの「近い将来」の位置に「恋人」の逆位置が、「最終結果」の位置に「愚者」の逆位置が出ることに気がつきました。同じカードが同じ位置に出るのはかなり低い確率で、非常に珍しいことです。これは「カードに念が入っていない」ということだと思い、お客様を待たせてしまって申しわけないのですが、そんなカードが出るたびに、私は疲れている中でも集中力を高めて占い直しました。

　こうやって占い方が雑になっているときに、「念が入っていませんよ」と教えてくれるタロットカード……私はあらためて、出てくるカードは単なる偶然の産物ではなく、まるで生き物のようなものなんだな、と実感したのです。

おわりに

　「はじめてタロットを手にした人」のための本、いかがでしたでしょうか。少しでも早く意味を把握してもらえるように、各カードにイメージフレーズを大きく掲載しました。また、カードの解説もわかりやすいようにと腐心し、特にあいまいになりがちな逆位置のイメージをわかりやすくお伝えできたのでは……と自負しています。そしてタロット占いを上達させるには、多くの実占に触れることが一番です。そのため、実占例に多大なページを割きました。

　難しい本を入手しなくても、これ1冊あればあなたは占い師になれます。あとは実占を重ねていき、いつかあなたが自由自在にタロットを操れるようになることを願ってやみません。

　最後にこの本を執筆するに当たり説話社の高木利幸さんには大変お世話になりました。感謝いたします。

「ライダー版タロット」はU.S.Games社の許可を得て掲載しました。
Illustrations from the Rider-Waite Tarot Deck® reproduced by permission of U.S. Games Systems, Inc., Stamford, CT 06902 USA. Copyright ©1971 by U.S. Games Systems, Inc. Further reproduction prohibited. The Rider-Waite Tarot Deck® is a registered trademark of U.S. Games Systems, Inc.

本書で使用したタロットカードは、
ニチユー株式会社(日本輸入代理店・販売元)で
取り扱っております。
電話／03-3843-6431
FAX／03-3843-6430
http://www.nichiyu.net/

プロフィール
藤森 緑（ふじもり・みどり）

幼少の頃から占いに並々ならぬ関心を持ち、1992年からプロ活動を開始。占い館・占いコーナー・電話鑑定・イベント等で多くの人数を鑑定。その後、2003年に占い原稿専門の有限会社を設立。各メディアに占い原稿を提供している。使用占術はタロットカード、ルーン、西洋占星術、九星気学、四柱推命、数秘術など幅広く、著書も多数。
各プロバイダの占いページで展開しているPC占いサイト「藤森緑のFORTUNE ROOM」「藤森緑　幸運の架け橋」、携帯公式占いサイト「藤森緑・迷いの森」を展開。DSソフトとして「藤森緑のLET'Sタロット」も監修。
http://www.d3.dion.ne.jp/~fujimido

はじめての人のためのらくらくタロット入門(にゅうもん)

発行日　　2008年11月23日　初版発行

著　者　　藤森　緑
発行者　　酒井文人
発行所　　株式会社 説話社
　　　　　〒169-8077 東京都新宿区西早稲田1-1-6
　　　　　電話／03-3204-8288（販売）03-3204-5185（編集）
　　　　　振替口座／00160-8-69378
　　　　　URL http://www.setsuwa.co.jp/

デザイン　染谷千秋（8th Wonder）
編集担当　高木利幸

印刷・製本 株式会社 平河工業社
© Midori Fujimori Printed in Japan 2008
ISBN 978-4-916217-65-3　C 2011

落丁本・乱丁本はお取り替えいたします。